KB178275

고등학생도 할 수 있다!

첫 주식투자 입문서

조건휘 지음

조건휘

국적 : 대한민국

출생 : 2006

학력 : Penn Foster High School 재학 중

경력 : 14살부터 주식 투자를 시작

2006년 대전 출생, 미국에서 고등학교를 재학 중이다. 학생들도 편하게 투자 할 수 있는 방법에 관심을 가지고 글을 쓰기 시작했다.

경제 상식부터 주식 투자까지 **고등학생도 할 수 있다!**

첫 주식 투자 입문서

CONTENTS

서문

주식시장은 매우 다양한 기회와 위험을 내포하고 있는 독특한 세계입니다. 불확실한 경제적 상황과 급격한 변화를 지속적으로 겪고 있는 시대에 주식투자는 단순한 돈 버는 수단을 넘어서 개인의 재무 관리와 경제적 자립을 위한 필수적인 도구로 자리잡고 있습니다.

하지만 주식시장에 대한 지식이나 경험이 부족한 경우 주식투자는 매우 위험한 도전이 될 수 있습니다. 이 책은 주식시장에 처음 입문하는 초심자들이 더욱 안전하고 효율적으로 주식투자를 시작할 수 있도록 주식투자의 기초적인 내용을 담고 있습니다.

이 책을 통해 주식투자에 대한 전반적인 이해를 높이고, 성공적인 투자를 위한 첫 걸음을 내디딜 수 있습니다.

고등학생도 할 수 있다!

Chapter1
주식투자의 기초지식

주식투자란 무엇인가?

주식투자는 기업에서 발행한 주식을 구매하여 소유한 후 시장 가격이 오르며 이익을 얻는 투자 방법입니다. 주식투자자는 기업의 소유 지분을 가지고 있으며, 그 소유 지분이 시장에서 인기를 얻어 가격이 오르면 이를 판매하여 이익을 얻는 것입니다. 이러한 투자 방법은 많은 사람들이 높은 수익을 기대하면서 시도하는 투자 중 하나이며, 이를 통해 많은 사람들이 자산을 운용할 수 있습니다.

주식투자는 경제 성장과 함께 성장하며, 장기적으로는 경제 성장에 따라 주식시장도 성장하는 경향이 있습니다. 그리고 주식시장은 다른 투자 방법에 비해 높은 수익률을 기대할 수 있으며, 일부 기업의 경우 주식 가치 상승과 함께 배당금 지급을 통해 안정적인 수익을 얻을 수도 있습니다. 따라서 주식투자는 투자자에게 매우 유리한 투자 방법이 될 수 있습니다.

하지만 주식투자는 그만큼 위험성도 높습니다. 시장 변동성과 투자 기업의 업종 및 경제 상황 등에 따라 수익률이 크게 달라질 수 있습니다. 따라서 투자자는 적극적인 정보 수집과 분석,

그리고 적절한 투자 전략 수립을 통해 안전하고 수익성 높은 투자를 할 수 있도록 노력해야 합니다.

주식투자를 통해 투자자는 기업의 성장과 발전에 기여할 수 있습니다.

투자자는 자신이 소유한 기업의 이익을 통해 배당금을 받을 수 있으며, 이러한 배당금은 주식투자자에게 추가적인 수익을 제공하고, 기업이 발전하는 데 필요한 자금도 제공할 수 있습니다. 또한 주식투자자는 투자한 기업의 성장과 발전을 지원함으로써 지역사회나 국가 경제 발전에도 기여할 수 있습니다. 이러한 이유로 주식투자는 개인의 이익뿐 아니라 전반적인 경제발전을 지원하는 중요한 역할을 합니다.

주식투자는 기업의 주식을 구매하는 것이므로 기업의 경영성과와 연관성이 높습니다. 기업의 경영성과가 좋을수록 주식가치는 높아지며, 역으로 경영성과가 나쁠수록 주식가치는 하락합니다. 따라서 투자자는 주식투자 전략을 수립할 때 기업의 재무상황, 경영전략, 기업이나 산업의 성장 잠재력 등을 분석하여 적극적으로 정보를 수집해야 합니다.

주식투자는 투자자의 투자 시기와 상황에 따라 다양한 전략을 적용할 수 있습니다. 투자자는 주식시장의 변동성을 예측하고, 적절한 투자 전략을 수립하여 안전하고 수익성 높은 주식투자를 할 수 있습니다. 일부 투자자는 기업의 장기 성장잠재력을 고려하여 장기적인 투자를 선택하고, 일부 투자자는 주가 변동성을 이용하여 단기적으로 매매하는 트레이딩 전략을 채택합니다.

주식투자의 방법은 다양합니다. 가장 일반적인 방법은 증권 회사나 인터넷을 통해 주식을 구매하는 것입니다. 주식시장에서 일어나는 이슈와 뉴스를 주시하고 기업의 재무상황과 경영전략, 기업이나 산업의 성장잠재력 등을 분석하여 투자전략을 수립하는 것이 중요합니다. 이를 위해서는 투자자가 주식시장에 대한 전반적인 이해와 경험이 필요합니다.

마지막으로 주식투자는 투자자의 적극적인 참여와 분석, 그리고 적절한 투자전략 수립에 따라 안전하고 수익성 높은 투자가 가능합니다. 주식투자는 경제발전과 국민경제의 발전에 큰 역할을 하고 있으며, 투자자는 주식투자를 통해 자신의 이익과 함께 전반적인 경제발전에 기여할 수 있습니다.

주식투자와 다른 투자 방법의 차이점은 각각의 특성과 장단점에 있습니다. 이를 살펴보면 다음과 같습니다.

1. 채권투자

채권투자는 기업이나 정부 등이 발행한 채권을 구매하여 이자수익을 얻는 투자 방법입니다. 채권투자의 특징은 안정적이고 예측 가능한 수익을 얻을 수 있다는 점입니다. 그러나 주식투자와 비교하면 수익률이 낮고 인플레이션과 같은 위험 요소에 대한 대처가 어렵다는 단점이 있습니다.

2. 부동산투자

부동산투자는 부동산을 구매하여 임대료나 매매 수익을 얻는 투자 방법입니다. 부동산투자의 특징은 안정적이며 인플레이션 대처가 가능하다는 점입니다. 그러나 주식투자와 비교하면 초기 투자 비용이 매우 높고 부동산 시장의 변동성이 크다는 단점이 있습니다.

3. 적금 및 예금

적금 및 예금은 은행에 예금하여 이자 수익을 얻는 투자 방법입니다. 적금 및 예금의 특징은 안정적이고 예측 가능한 수익을 얻을 수 있다는 점입니다. 그러나 주식투자와 비교하면 수익률이 매우 낮다는 단점이 있습니다.

4. 상품투자

상품투자는 금속, 에너지, 농산물 등의 상품을 구매하여 가격 상승에 따른 이익을 얻는 투자 방법입니다. 상품투자의 특징은 인플레이션 대처가 가능하며, 금과 같은 안전자산으로 사용할 수 있다는 점입니다. 그러나 주식투자와 비교하면 상품 시장의 변동성이 크며, 상품 시장에 대한 지식과 정보 수집 능력이 필요하다는 단점이 있습니다.

5. 외환투자

외환투자는 다른 나라의 통화를 구매하여 환율 변동에 따른 이익을 얻는 투자 방법입니다. 외환 투자의 특징은 다양한 통화를 통해 포트폴리오의 다변화를 할 수 있으며, 환율 변동에 대한 대처가 가능하다는 점입니다. 그러나 주식투자와 비교하면 외환 시장의 변동성이 크며, 통화 및 경제정책 등의 변화에 대한 지식과 정보 수집 능력이 필요한 단점이 있습니다.

이러한 차이점을 고려하여 투자자는 자신의 투자 목표, 성향, 시기 등을 고려하여 적절한 투자 방법을 선택해야 합니다. 또한 주식투자와 다른 투자 방법을 조합하여 포트폴리오를 구성하면 리스크 분산과 안정성을 높일 수 있습니다. 포트폴리오의 구성은 투자자의 개인적인 상황과 목표에 따라 다르므로 자신의 상황에 맞게 적절한 포트폴리오를 구성해야 합니다.

주식 투자의 이점과 위험성

주식투자는 높은 수익 가능성과 기업의 성장을 지원하는 역할 등 많은 장점을 가지고 있지만 단점들도 존재합니다. 이번 항목에서는 주식투자의 이점을 다음과 같은 측면에서 살펴보겠습니다.

1. 높은 수익 가능성

주식투자는 시장 변동성에 따라 수익률이 변동하지만, 높은 수익률을 기대할 수 있는 투자 방법입니다. 장기적으로는 안정적인 수익률을 얻을 수 있습니다. 특히 급락장에서는 저가의 주식을 매입하고 상승장이 될 때 판매하여 높은 수익을 얻을 수도 있습니다. 또한 주식투자는 매수/매도가 용이한 투자 방법으로 언제든지 투자를 조정할 수 있어 투자자의 수익률을 극대화할 수 있습니다.

2. 기업의 성장 지원

주식투자는 기업의 성장을 지원하는 역할을 합니다. 주식을 구매하면 기업은 투자한 자금을 활용하여 사업 확장이나 연구개발 등 다양한 목적에 사용할 수 있습니다. 이를 통해 기업의 성장을 지원함으로써 투자자는 기업의 성장과 함께 수익을 얻을 수 있습니다.

3. 경제발전에 기여

주식투자는 경제발전에 기여하는 역할을 합니다. 주식시장은 기업의 성장을 지원함으로써 지역사회나 국가 경제 발전에 기여하며 이를 통해 국가 경제가 발전할 수 있습니다.

4. 포트폴리오의 다변화 가능

주식투자는 다양한 종목을 조합하여 포트폴리오를 구성할 수 있기 때문에 투자 리스크를 분산시키는 데 용이합니다. 여러 종목을 조합하여 투자함으로써 한 종목의 급락으로 인한 손실을 상쇄시키는 데도 효과적입니다. 또한 다양한 종목을 조합하면 예측 가능성이 높은 안정적인 수익을 얻을 수 있습니다.

5. 배당금 수익

주식투자는 배당금 수익을 얻을 수 있는 장점이 있습니다. 배당금은 기업이 이익을 배분하여 주주들에게 지급하는 금액으로 이를 통해 투자자는 수익을 얻을 수 있습니다. 또한 일부 기업은 배당금 지급을 중단하거나 감소시키는 경우도 있습니다. 이 경우, 기업은 자금을 재투자하여 성장을 지원할 수 있지만,

투자자는 배당금 수익을 얻을 수 없게 됩니다.

6. 정보 투명성

주식시장은 정보 투명성이 높은 특징을 가지고 있습니다. 주식시장에서는 기업의 재무정보나 경영정보, 기업의 실적 등 다양한 정보를 제공합니다. 이를 통해 투자자는 기업의 경영실적을 판단하고 투자 결정을 내릴 수 있습니다. 또한 다양한 분석도구를 활용하여 기업의 실적을 예측하는 데도 용이합니다.

7. 다양한 투자 방법

주식투자는 많은 종류의 투자 방법을 활용할 수 있습니다. 예를 들어 선물옵션, 투자 펀드 등 다양한 형태의 투자 방법이 존재합니다. 이를 통해 투자자는 자신의 투자 성향에 맞는 투자 방법을 선택할 수 있습니다.

8. 자산가치 보장

주식투자는 다른 투자 방법에 비해 자산가치 보장이 용이합니다. 예를 들어 적금이나 예금은 금리 변동 등의 요인으로 인해 자산가치가 변동될 수 있지만, 주식투자는 주가 변동에 따라 자산가치가 변동되므로 투자자가 투자한 자금의 가치를 상대적으로 보장할 수 있습니다.

이러한 이유로 주식투자는 높은 수익률과 기업의 성장을 지원하는 역할, 경제발전에 기여하는 역할 등 다양한 장점을 가지고 있습니다. 하지만 주식투자에는 몇 가지 위험성도 함께 존재합니다. 이번 항목에서는 주식투자의 위험성을 다음과 같은 측면에서 살펴보겠습니다.

1. 시장 변동성

주식시장은 언제든지 변동할 수 있는 가능성이 있습니다. 시장 변동성은 어떤 경우에는 급격한 주가 하락으로 이어지기도 합니다. 이는 투자자가 예상하지 못한 상황에서 일어날 수 있으며, 이 경우 투자자는 큰 손실을 입을 수 있습니다.

2. 투자 기업의 업종 및 경제상황 등에 따른 수익률 차이

주식투자는 투자 기업의 업종 및 경제상황 등에 따라 수익률 차이가 발생할 수 있습니다. 예를 들어 대기업의 경우 경제상황이 좋지 않아도 다양한 자산을 보유하고 있어 상대적으로 안정적인 수익을 얻을 수 있습니다. 그러나 중소기업의 경우 경제상황이 나쁘면 경영위기에 직면할 가능성이 높습니다. 이와 같이 업종 및 경제상황 등에 따라 주식의 수익률이 크게 차이가 나므로, 이를 예측하지 못하면 큰 손실을 입을 수 있습니다.

3. 불확실한 기업실적

주식투자는 기업의 실적에 따라 수익이 결정되므로 기업실적이 불확실한 경우에는 투자자가 예상한 대로 수익을 얻을 수 없는 경우가 있습니다. 예를 들어 기업이 예상치 못한 손실을 발표하거나 연구개발 등의 비용으로 인해 수익이 감소하는 경우가 있습니다. 이러한 경우 투자자는 예상치 못한 손실을 입을 수 있습니다.

4. 마케팅 홍보 등의 위조 거래

시장 변동성이나 불확실한 기업실적 외에도 주식시장에서는 마케팅 홍보 등의 위조 거래가 일어날 수 있습니다. 이러한 위조 거래는 주가 조작이나 회계 부정 등으로 이루어지며, 이는 투자자에게 큰 손실을 야기할 수 있습니다.

5. 자본 손실

주식투자는 투자한 자본의 손실도 위험성 중 하나입니다. 주식투자를 통해 주식을 구매하고, 그 주식의 가격이 하락하면 손실을 볼 수 있습니다. 이러한 손실은 주식시장의 변동성에 의해서 발생할 수 있으며 특정 기업이 나쁜 실적을 내놓거나 경제적인 상황이 나쁜 경우에도 발생할 수 있습니다.

6. 환율 변동성

주식투자를 해외 주식에 투자하는 경우, 환율 변동성도 위험성 중 하나입니다. 주식의 가격이 상승해도 원화 대비 외국 화

고등학생도 할 수 있다!

폐가 하락하면 투자자는 손실을 볼 수 있습니다. 이는 주식시장의 상승 기조와는 무관하게 발생할 수 있는 위험성입니다.

7. 기타 위험성

주식투자에서는 시장 외적인 요인에 의해서도 손실이 발생할 수 있습니다. 대표적으로 지진, 재해, 전쟁 등의 재해가 있습니다. 이러한 재해로 인해 투자한 주식이 소멸될 수도 있습니다.

따라서 주식투자는 높은 수익률을 기대할 수 있지만 동시에 위험성도 가지고 있습니다. 이러한 위험성을 줄이기 위해서는 주식시장의 변동성을 예측하는 능력, 기업 실적을 분석하는 능력 등이 필요합니다. 또한 투자 포트폴리오를 분산시켜 다양한 주식에 투자하는 것도 위험성을 줄일 수 있는 방법 중 하나입니다.

Chapter2
고등학생이 알아둬야 할
경제 지식

경제지식의 중요성

고등학생이 주식을 해야 하는 이유는, 재무적 자립과 미래를 위한 금융 계획을 세우는 데에 큰 도움이 될 수 있기 때문입니다. 그러나 주식을 투자하려면 경제 지식이 필요합니다. 이유는 다음과 같습니다.

1. 주식시장의 구조 이해

주식투자는 금융 주식시장의 증권 거래소와 전자 거래 시스템에서 이루어집니다. 증권 거래소는 주식을 거래하는 전통적인 방식이며, 전자 거래 시스템은 인터넷을 통해 주식을 거래하는 방식입니다. 또한 국내 주식시장은 일반 시장과 코스닥 시장으로 나뉩니다. 일반 시장은 대형 기업들이 상장되어 있으며, 코스닥 시장은 중소기업들이 상장되어 있습니다. 이러한 주식시장의 구조를 이해해야 어떤 주식을 투자할지 언제 투자할지 결정할 수 있습니다.

2. 기업의 재무 상태 파악

주식을 투자하기 전에 기업의 재무 상태를 파악해야 합니다.

기업의 재무 상태는 자산과 부채의 규모, 이익과 손실의 크기, 채권 발행과 배당금 지급 등으로 확인할 수 있습니다. 이러한 정보를 파악해야 기업의 실적을 분석하고 어떤 주식에 투자할지 결정할 수 있습니다.

3. 투자 위험 관리

주식투자는 높은 수익성과 함께 높은 위험성도 내포하고 있습니다. 따라서 투자 전략을 세우기 전에 투자 위험을 파악해야 합니다. 주식시장은 경제 상황에 크게 영향을 받기 때문에 경제 지식이 필요합니다. 경제 지식을 바탕으로 주식시장의 상황을 파악하고, 그에 따라 적절한 투자 전략을 수립할 수 있습니다.

4. 금융 상품 이해

주식투자는 금융 상품 중 하나입니다. 경제 지식을 가지고 있다면 다른 금융 상품에 대해서도 이해할 수 있습니다. 예를 들어 적금, 예적금, 펀드 등 다양한 금융 상품에 대해 알고 있다면 주식투자 외에도 다양한 투자 방법을 고려할 수 있습니다. 또한 투자 금액과 기간, 투자 목적에 따라 적절한 금융 상품을 선택할 수 있습니다.

5. 시장 동향 파악

주식투자를 위해서는 시장 동향을 파악하는 것이 중요합니다.

시장 동향을 파악하면, 언제 어떤 종목에 투자해야 하는지 판단할 수 있습니다. 시장 동향을 파악하는 방법은 다양하지만 기업 뉴스, 기업 실적 발표, 증권 전문 미디어, 주가 차트 등을 참고하는 것이 일반적입니다. 시장 동향을 파악하면 주식시장에서 더욱 능동적인 투자를 할 수 있습니다.

6. 세금 부과와 세금 공제

주식투자에서는 세금 부과와 세금 공제에 대한 이해가 필요합니다. 주식투자에서 발생하는 이익은 양도소득세가 부과됩니다. 따라서 이익을 미리 예상하고, 세금 부과에 대비해야 합니다. 또한 주식투자에서는 세금 공제도 가능합니다. 예를 들어 기부금으로 사용하거나 개인연금저축 등으로 사용하면 일부 세금 공제가 가능합니다.

7. 투자 전략 수립

주식투자에서는 투자 전략을 수립하는 것이 중요합니다. 투자 전략은 투자 목적, 투자 기간, 투자 금액, 투자 대상 등에 따라 다릅니다. 투자 전략을 수립하면 투자의 방향성을 정할 수 있고 이에 따라 적절한 종목을 선정할 수 있습니다. 또한 투자 전략은 투자의 위험을 줄이는 데에도 큰 도움을 줍니다.

결론적으로 경제 지식은 주식투자를 위한 필수 지식입니다. 경제 지식을 바탕으로 주식시장의 구조와 기업의 재무 상태를 파악하고 투자 위험을 관리하며, 금융 상품을 이해하고 시장 동향을 파악하며, 세금 부과와 공제에 대한 이해를 하는 것이 중요합니다. 또한 투자 전략을 수립하여 투자 목적을 달성할 수 있도록 계획적으로 투자해야 합니다. 경제 지식은 누구나 쉽게 습득할 수 있는 것이 아니며, 계속해서 공부하고 배우며 적용해 나가야 합니다.

주식투자를 고려하는 고등학생들은 주식시장에 대한 이해와 기본적인 경제 지식을 갖추는 것이 중요합니다. 이를 위해서는 경제 관련 교육을 받거나 책과 인터넷 자료 등을 참고하여 스스로 학습하는 것이 좋습니다. 또한 가족, 지인, 전문가 등과의 대화를 함으로써 주식투자에 대한 경험과 지식을 더욱 쌓아나가는 것이 좋습니다.

주식투자는 투자 금액과 투자 목적에 따라 적절한 투자 전략과 방법이 필요합니다. 따라서 고등학생들은 자신의 투자 목적과 상황에 맞는 투자 전략을 수립하고, 투자 금액을 적절하게 분산하여 위험을 최소화하는 것이 좋습니다.

마지막으로 주식투자는 불확실성이 높은 투자이므로 항상 투자 위험에 대한 인식과 대비가 필요합니다. 따라서 투자 전에는 충분한 조사와 분석을 통해 투자 대상의 위험과 수익률을

고등학생도 할 수 있다!

파악하고, 투자 시기와 조건을 신중하게 고려하여 투자를 진행해야 합니다.

경제 용어와 개념의 이해

경제 용어와 개념은 경제 활동에서 필수적인 정보를 제공하고 의사 결정에 도움을 주는 중요한 역할을 합니다. 경제 용어와 개념의 이해는 경제에 관심 있는 사람들에게 중요하며 비즈니스, 투자, 금융, 정치 등의 분야에서 필수적인 지식입니다.

수요와 공급은 경제의 기본 개념 중 하나입니다. 수요는 제품이나 서비스에 대한 소비자의 원하는 수량을 의미하며, 공급은 기업이나 생산자가 그러한 수요를 충족시키기 위해 제공하는 제품이나 서비스의 수량을 의미합니다. 시장에서는 수요와 공급이 균형을 이루는 것이 이상적이며, 그렇지 않을 경우 가격과 수량이 조정됩니다.

경제성장은 국가 경제가 증가하는 것을 의미합니다. 경제성장은 GDP, 소비자 지출, 투자, 수출 등 여러 요인에 의해 측정됩니다. 반면에 불황은 경제적으로 어려운 시기를 의미합니다. 불황 기간 동안 수요가 감소하고 실업률이 상승하며, 기업들은 매출이 감소하고 이익이 감소합니다.

인플레이션은 일반적으로 물가 상승을 의미합니다. 인플레이션은 통화 공급의 증가와 수요 증가, 산업 생산력 부족 등 여러 요인에 의해 발생할 수 있습니다. 반대로 디플레이션은 일반적으로 물가 하락을 의미하며 경제 침체, 생산력 증가, 수요 감소 등 여러 요인에 의해 발생할 수 있습니다.

금리와 환율은 투자, 수출입, 경제성장 등에 영향을 미치는 중요한 요인입니다. 금리는 대출이나 예금과 같은 금융 활동에서 적용되는 이자율을 의미합니다. 환율은 국제 무역에서 통화 간의 교환 비율을 의미합니다. 이 두 요소는 주로 중앙은행이 조절하며, 경제 전반적인 상황과 투자자들의 신뢰도에 따라 변동됩니다.

또한 경제 용어와 개념의 이해는 개인이나 기업이 경제적인 결정을 내리는 데에도 도움을 줍니다. 예를 들어 기업이 새로운 사업을 시작하거나 투자를 결정할 때 경제 지식이 필요합니다. 또한 개인이 자신의 재정 상황을 관리하거나 금융 상품을 이용할 때도 경제 지식이 필요합니다.

마지막으로 경제 용어와 개념은 국제 경제에서도 중요합니다. 국제 무역, 환율 등 국제 경제의 다양한 분야에서 경제 지식은 필수적입니다. 이러한 이유로 경제 용어와 개념의 이해는 개인이나 기업, 정부, 국제 경제 등 다양한 분야에서 중요한 역할을 합니다.

추가적으로 몇 가지 경제 용어와 개념을 더 알아보겠습니다.

이자율은 대출이나 예금과 같은 금융 활동에서 적용되는 비율로, 대출금이나 예금 금액에 대한 이자의 양을 나타냅니다. 이자율은 통화정책에 따라 변동하며, 이는 중앙은행이 조절합니다.

부동산 가격은 주택 시장이나 상업용 부동산 시장에서 매매되는 부동산의 가격을 의미합니다. 부동산 가격은 경제 전반적인 상황과 금리, 인구 밀도, 공급과 수요 등의 요인에 따라 결정됩니다.

세제 정책은 정부가 세금을 부과하거나 면제함으로써 경제활동을 조절하는 것으로 경제 전반적인 상황, 소득 분배, 소비 증가 등의 요인을 고려하여 결정됩니다.

적자와 흑자는 기업의 경제적인 상황을 나타내는 지표입니다. 적자는 수익보다 비용이 많아 손실이 발생한 상황을 의미하며, 흑자는 수익이 비용보다 많아 이익이 발생한 상황을 의미합니다.

물가는 상품과 서비스의 가격을 의미하며, 일반적으로 인플레이션과 디플레이션의 영향을 받습니다. 물가 상승은 소비자 가격 지수를 통해 측정됩니다.

채권은 채권 발행자가 채무를 지불할 것을 약속하고 발행하는

고등학생도 할 수 있다!

금융 상품으로 주로 정부나 기업에서 발행하며, 이자를 지급받을 수 있으며 만기일에 원금을 회수할 수 있습니다.

위에 언급된 경제 용어와 개념들은 경제의 기본 개념이자 중요한 요소 중 일부입니다. 이들을 이해하는 것은 경제활동에 참여하는 모든 개인과 기업에게 필수적인 지식이며 개인적인 재정관리에서부터 기업의 투자, 정부의 경제정책 결정, 국제 경제 등 다양한 분야에서 필요합니다. 또한 이들을 이해함으로써 경제적인 결정을 내리는 데 있어서 효과적으로 의사 결정을 할 수 있고 경제활동의 변화를 예측하고 대처할 수 있습니다.

예를 들어 대출을 받을 때 이자율을 고려하여 상환 계획을 세우거나 부동산 시장에서 매물을 살 때 부동산 가격에 대한 정보를 파악하여 적정 가격으로 매매할 수 있습니다. 또한 기업은 PER, PBR, ROE, EPS 등의 지표를 이용하여 자사의 재무 상태를 파악하고, 경제 환경의 변화에 대처할 수 있습니다.

정부는 경제활동을 조절하는 데 있어서 세제 정책을 활용합니다. 세제 정책을 이해함으로써 정부의 경제정책 방향성과 목표를 파악할 수 있고, 이에 대한 대처 방안을 마련할 수 있습니다. 또한 경제성장과 불황의 이해는 정부가 정책을 결정할 때 중요한 요소 중 하나이며, 정부의 경제정책 결정에 대한 평가를 할 수 있습니다.

마지막으로 국제 경제에서 경제 용어와 개념의 이해는 필수적입니다. 금리와 환율은 국제 경제에서 중요한 역할을 합니다. 이들을 이해함으로써 투자 활동이나 수출입 활동에서 효과적인 대응 방안을 마련할 수 있습니다.

경제 용어와 개념의 이해는 경제활동에 참여하는 모든 사람들에게 필수적인 지식입니다. 이들을 이해하는 것은 개인의 재정 상황 관리, 기업의 투자 및 경영 활동, 정부의 경제정책 결정, 국제 경제 등 다양한 분야에서 중요한 역할을 합니다. 따라서 경제 용어와 개념을 학습하고 이를 활용하여 경제활동을 더욱 효과적으로 수행할 수 있도록 노력해야 합니다.

금리, 환율, 주가지수 등에 대한 이해

주식시장은 금융시장에서 가장 유명한 시장 중 하나입니다. 주식시장에서 투자자들은 주식을 매입하고 판매하여 수익을 얻을 수 있습니다. 하지만 주식 시장에서 투자를 하기 위해서는 금리, 환율, 주가지수와 같은 다양한 요소들에 대한 이해가 필요합니다.

금리는 대출이나 예금과 같은 금융 활동에서 적용되는 이자율을 의미합니다. 금리는 중앙은행이 조절하며, 경제 전반적인 상황과 투자자들의 신뢰도에 따라 변동됩니다. 주식시장에서는 금리가 낮을수록 기업들이 대출을 더욱 쉽게 받을 수 있으며, 이는 기업들의 투자 및 성장에 긍정적인 영향을 미칩니다. 따라서, 금리는 주식시장의 전반적인 추세에 영향을 미치는 중요한 요소 중 하나입니다.

환율은 국제 무역에서 통화 간의 교환 비율을 의미합니다. 환율은 국제 경제 및 경제정책의 영향을 받으며, 경제 전반적인 상황과 금리, 수출입 등의 요소에 따라 변동됩니다. 주식시장에서는 환율 변동이 기업의 해외수익을 영향을 미치기 때문에, 특히 수출 기업들에게 큰 영향을 미치는 중요한 요소 중 하나입니다.

주가지수는 주식시장의 전반적인 상황을 파악하는 지표로 사용됩니다. 주가지수는 일반적으로 시가총액을 기준으로 산출되며, 시장 내 기업들의 주가 변동을 종합하여 표현합니다. 대표적인 주가지수로는 미국의 다우존스 지수, 일본의 니케이 225, 한국의 코스피 지수 등이 있습니다. 주가지수는 주식시장의 추세와 기업들의 경제적인 상황 등을 파악하는 데에 중요한 지표로 사용됩니다.

주식시장에서 이러한 요소들은 주식시장의 변동성을 유발시키며 투자자들에게 위험 요소를 제공하기도 합니다. 예를 들어 기업의 경영 실패, 경제적인 불황, 금리 변동, 정치적인 변화 등은 모두 주식시장의 변동성을 높이는 요소로 작용할 수 있습니다.

이러한 이유로 주식시장에서는 투자를 결정하기 위해서는 다양한 요소들을 종합적으로 고려하여 판단하는 것이 중요합니다. 이는 전문가들도 마찬가지이며, 투자자들도 필수적으로 알아야 하는 지식입니다.

추가적으로 몇 가지 주식시장에 대한 관점을 더해보겠습니다.

주식시장은 실물 경제와 밀접한 연관이 있습니다. 기업의 경제적인 성과가 주식시장에 반영되며 주식시장의 변동은 기업의

고등학생도 할 수 있다!

경제적인 상황에 영향을 미칩니다. 또한 주식시장은 경제 전반적인 상황을 파악하는 데에도 사용됩니다. 주가지수와 같은 지표들을 통해 경제 전반적인 상황을 파악하고 향후 경제 전망을 예측하는 데에도 사용됩니다.

주식시장에서는 투자자들이 매수와 매도를 결정하며, 이는 주식시장의 주가 변동에 큰 영향을 미칩니다. 매수 수요가 많을 경우 주가는 상승하게 되며, 반대로 매도 수요가 많을 경우 주가는 하락하게 됩니다. 따라서 주식시장에서는 투자자들이 경제 전반적인 상황뿐만 아니라 기업의 경제적인 상황, 심리적인 요소, 국제적인 상황 등 다양한 요소를 고려하여 투자를 결정해야 합니다.

주식시장에서는 주식 외의 다양한 상품들도 거래됩니다. 예를 들어 선물, 옵션, ETF 등 다양한 상품들이 있으며, 이들은 주식시장의 변동성을 활용하여 수익을 얻기 위해 거래됩니다. 이러한 상품들은 주식시장과 유사한 특성을 가지고 있으며 주식시장의 흐름을 예측하여 투자를 결정하는 데에도 사용됩니다.

마지막으로, 주식시장에서는 투자자들이 자신의 투자 방식에 따라 다양한 전략을 사용합니다. 예를 들어 가치투자, 성장투자, 기술적 분석 등 다양한 전략들이 있으며 이들은 투자자들의 성향과 목적에 따라 선택됩니다. 이러한 전략들은 주식시장에서 투자를 결정하는 데에 중요한 역할을 합니다.

Chapter3
고등학생이 주식투자를
시작할 때 알아야 할 것들

주식 투자의 종류와 방법

고등학생이 할 수 있는 주식투자의 종류와 방법에 대해 자세하게 설명해 드리겠습니다.

고등학생이 할 수 있는 주식투자의 종류는 크게 두 가지로 나눌 수 있습니다. 첫 번째는 직접 주식을 매수하는 것이고, 두 번째는 펀드를 통해 간접적으로 주식을 매수하는 것입니다.

1. 직접 주식 매수 : 직접 주식을 매수하는 방법은 증권 회사나 인터넷증권사를 통해 계좌를 개설하고, 자신이 원하는 기업의 주식을 매수하는 방법입니다. 이 방법의 장점은 자신이 선택한 기업에 직접 투자할 수 있고 수수료가 낮다는 점입니다. 단점은 투자 대상 기업을 직접 선정해야 하므로 지식과 경험이 필요하며 주식시장의 변동성에 노출되어 리스크가 높다는 점입니다.

2. 펀드 투자 : 펀드는 여러 종목의 주식을 한꺼번에 매수하여 운용하는 투자 방식입니다. 펀드는 주식형 펀드, 채권형 펀드, 혼합형 펀드 등이 있으며 고등학생들이 가장 많이 선택하는 것은 주식형 펀드입니다. 이 방법의 장점은 전문적인 기업분석

능력이 없어도 주식투자가 가능하다는 점과 투자액이 적어도 분산투자가 가능하다는 점입니다. 단점은 수수료가 높을 수 있다는 점과 수익률이 개인적인 기대와 다를 수 있다는 점입니다.

이번에는 주식투자 방법에 대해 설명하겠습니다. 주식투자 방법은 크게 기업 분석, 투자 전략 수립, 리스크관리, 지속적인 관심과 학습, 자산운용사 선택으로 나눌 수 있습니다.

1. 기업 분석 : 직접 주식을 매수하는 경우 기업 분석이 필요합니다. 기업 분석은 기업의 경영성과, 재무 상태, 산업 전망, 경쟁우위 등을 종합적으로 분석하여 기업의 가치와 주식의 매수 여부를 판단하는 과정입니다. 기업 분석에는 기업 분석서, 기업리포트, 재무제표 등을 활용합니다.

2. 투자 전략 수립 : 주식투자를 시작하기 전에 투자 전략을 수립하는 것이 좋습니다. 투자 전략은 투자 목표와 리스크 허용도, 투자 기간 등을 고려하여 수립합니다. 예를 들어 중장기적인 투자를 목표로 하고 있으면 분산투자와 주식형 펀드 투자를 고려할 수 있습니다. 또한 수익률을 극대화하기 위해 대형주, 중소형주, 성장주, 가치주 등 다양한 종목을 포함시킨 포트폴리오를 구성하는 것이 좋습니다.

3. 리스크관리 : 주식투자는 수익을 극대화할 수 있는 방법이지만 동시에 손실을 입을 가능성도 있습니다. 따라서 리스크

관리가 필요합니다. 주식시장에서는 다양한 요인들에 의해 변동성이 높기 때문에 리스크를 최소화하기 위해 분산투자, 포트폴리오 투자, 정기적인 리밸런싱 등을 고려해야 합니다.

4. 지속적인 관심과 학습 : 주식시장은 지속적인 변화와 동향을 보입니다. 따라서 주식투자를 하기 위해서는 지속적인 관심과 학습이 필요합니다. 이를 위해 증권사나 인터넷 포털사이트에서 제공하는 기업리포트, 시황 분석, 주식분석 등을 활용하여 경제와 금융에 대한 지식을 쌓아가고 투자 전략을 수정하거나 재평가하는 등 학습과 지속적인 관심이 필요합니다.

5. 자산운용사 선택: 펀드를 통한 간접투자의 경우, 자산운용사를 선택하는 것이 중요합니다. 자산운용사는 펀드의 종류, 수익률, 수수료 등을 결정하므로 신뢰성과 실적 등을 검토하여 선택해야 합니다. 또한 자산운용사의 고객 서비스, 교육 프로그램, 공지 사항 등을 확인하여 자신에게 적합한 자산운용사를 선택해야 합니다.

이러한 방법들을 고등학생들도 쉽게 접근할 수 있도록 인터넷 포털사이트나 증권사에서 교육 프로그램을 제공하고 있으며 투자자 보호를 위해 투자 유의 사항을 고지하고 있습니다. 고등학생들은 이러한 정보들을 수집하고, 자신에게 맞는 투자 방법과 전략을 선택하여 주식시장에서 안정적인 수익을 창출할 수 있습니다.

또한 고등학생들은 주식투자를 하기 전에 부모님이나 전문가와 상담하는 것이 좋습니다. 주식투자는 자본시장에서의 투자로 어떤 경우에는 손실도 있을 수 있습니다. 그러므로 주식투자를 하기 전에 반드시 부모님의 동의를 얻어야 하며 전문가의 조언을 듣고 투자하도록 해야 합니다.

결론적으로, 고등학생도 적극적으로 주식시장에 참여하여 안정적인 수익을 창출할 수 있습니다. 이를 위해서는 직접 주식 매수나 펀드 투자를 선택하고 기업 분석과 자산운용사 선택, 투자 전략 수립, 리스크 관리, 지속적인 학습과 관심 등을 고려해야 합니다. 또한 주변의 전문가와 상담하며, 부모님의 동의를 받은 후에 투자하도록 합니다. 이러한 노력과 준비를 통해 고등학생들도 안정적인 수익을 창출할 수 있고 금융적 지식과 경험을 쌓아나갈 수 있습니다.

하지만 주식투자는 언제나 리스크가 따르는 투자 방법이므로 신중하게 결정하고 적극적인 학습과 관심을 유지해야 합니다. 이는 모든 투자 방법에 해당되는 사항이지만 주식투자는 특히 변동성이 높고, 급격한 시장 변화가 발생할 가능성이 높기 때문에 지속적인 관심과 학습이 더욱 필요합니다.

또한 고등학생들이 주식시장에서 투자를 결정할 때에는 학업과의 균형을 유지해야 합니다. 주식투자는 부가적인 수익을 창출하기 위한 방법으로 학업에 영향을 미치지 않도록 주의해야 합니다. 또한 자신이 감당할 수 있는 금액으로 투자하고 이에 따른 리스크를 충분히 고려하여야 합니다.

마지막으로 주식투자는 단기적인 이익을 추구하는 것이 아니라 장기적인 관점에서의 수익을 추구하는 것이 중요합니다. 이를 위해서는 지속적인 학습과 관심, 그리고 충분한 인내와 인내력이 필요합니다. 고등학생들은 이러한 투자의 기본 원칙을 기억하면서 적극적인 투자와 지속적인 학습을 통해 안정적인 수익을 추구할 수 있습니다.

기업 분석 방법과 종목 선정 방법

기업 분석은 매우 복잡하고 다양한 방법이 존재합니다. 이번에는 대표적인 기업 분석 방법 중 하나인 "펀더멘탈 분석(Fundamental Analysis)"에 대해서 설명해 드리겠습니다.

1. 기업의 재무제표 분석

기업의 재무제표 분석은 기본적으로 기업이 얼마나 수익을 내는지, 얼마나 부채를 갚아내고 있는지, 얼마나 자산을 보유하고 있는지 등 기업의 재무 상태를 파악하는 것입니다.

재무제표에는 손익계산서, 재무상태표, 현금흐름표 등이 있으며, 이들을 분석하여 기업의 재무 상태를 파악합니다. 이때 주요한 지표로는 매출액, 영업이익, 자산 총액, 부채 총액, 자기자본 총액 등이 있습니다.

예를 들어 매출액은 해당 기업이 얼마나 많은 제품을 팔았는지를 나타내며, 이를 통해 기업의 수익성을 파악할 수 있습니다. 영업이익은 매출액에서 제품 제조 비용 등을 제외한 후 남은 순수익으로 해당 기업이 얼마나 효율적으로 수익을 창출하고 있는지를 파악할 수 있습니다.

자산 총액은 기업이 보유하고 있는 모든 자산의 가치를 합산한 것으로 이를 통해 기업의 규모와 재무력을 파악할 수 있습니다. 반면에 부채 총액은 기업이 빌린 돈이나 상환할 채무 등을 합산한 것으로 이를 통해 기업이 어느 정도 부채를 갚아내고 있는지를 파악할 수 있습니다.

자기자본 총액은 기업의 자산에서 부채를 제외한 순자산의 가치를 나타내며, 이는 해당 기업이 얼마나 안정적인 재무 상태를 유지하고 있는지를 파악할 수 있습니다.

2. 산업 분석

펀더멘탈 분석에서는 특정 기업의 분석을 위해서는 해당 기업이 속한 산업에 대한 분석도 필요합니다.

산업 분석은 해당 산업의 성장률, 경쟁 상황, 수요-공급 상황 등을 파악하여 기업이 속한 산업의 전반적인 상황을 이해하는 것입니다.

예를 들어 휴대폰 제조업체의 경우에는 휴대폰 시장의 성장률, 경쟁 업체의 수 및 성능, 기술 개발 및 시장 동향 등을 고려하여 해당 산업의 전반적인 상황을 파악할 수 있습니다.

산업 분석에서는 SWOT 분석과 같은 도구를 이용하여 기업의 강점, 약점, 기회, 위협을 파악할 수 있습니다. 이를 통해 해당 산업의 전반적인 상황을 파악하고, 기업이 어떠한 장점과 단점을 가지고 있는지를 확인할 수 있습니다.

3. 경쟁사 분석

경쟁사 분석은 해당 기업의 경쟁자들을 파악하여 경쟁력, 시장 점유율, 수익성 등을 분석합니다. 이를 통해 해당 기업의 경쟁력을 이해하고 시장에서의 위치를 파악할 수 있습니다.

예를 들어 음료 제조업체의 경우에는 같은 음료 제조업체와의 경쟁 상황을 파악하여 해당 기업이 시장에서 어떤 위치를 차지하고 있는지, 제품의 경쟁력이 어느 정도인지 등을 파악할 수 있습니다.

경쟁사 분석에서는 경쟁 업체의 재무제표와 성과, 제품 및 서비스, 시장 점유율 등을 분석합니다. 이를 통해 해당 기업의 경쟁력과 기업 가치를 비교하여 분석 결과를 도출할 수 있습니다.

4. 경영진 분석

경영진 분석은 해당 기업의 경영진의 역량과 성과를 파악하는 것입니다. 이를 통해 기업의 경영전략과 추후 전망을 예측할 수 있습니다. 경영진 분석에서는 경영진의 경험, 전문성, 성과, 비전 등을 고려하여 해당 기업의 경영진이 어느 정도의 역량과 능력을 가지고 있는지를 파악할 수 있습니다. 이를 통해 해당 기업이 앞으로 어떤 전략을 취할 것인지, 어떤 경영 방침을 펼칠 것인지 등을 예측할 수 있습니다.

5. 시장 분석

시장 분석은 해당 기업이 경쟁하는 시장을 분석하는 것입니다. 이를 통해 시장의 성장률, 수요와 공급 상황, 시장 점유율, 고객의 선호도 등을 파악할 수 있습니다.

예를 들어 자동차 제조업체의 경우에는 자동차 시장의 성장률, 경쟁 업체의 수 및 시장 점유율, 고객의 선호도, 규제 등을 고려하여 해당 시장의 전반적인 상황을 파악할 수 있습니다. 시장 분석에서는 PEST 분석과 같은 도구를 이용하여 정치, 경제, 사회, 기술 등의 요소를 파악할 수 있습니다. 이를 통해 해당 시장의 변화와 추세를 예측하고, 기업이 적극적으로 대처해 나갈 전략을 수립할 수 있습니다.

6. 기업 가치 평가

기업 가치 평가는 해당 기업의 가치를 파악하는 것입니다. 이를 통해 투자의 적정성과 투자 가치를 예측할 수 있습니다.

기업 가치 평가에서는 기업의 재무 상태, 경쟁력, 시장 상황, 예상 수익성 등을 고려하여 기업의 가치를 도출합니다. 이를 통해 해당 기업이 투자 가치가 있는지를 판단하고 적정한 투자 전략을 수립할 수 있습니다.

7. 종합적인 분석

펀더멘탈 분석에서는 위에서 언급한 기업분석, 산업 분석, 경쟁사 분석, 경영진 분석, 시장 분석, 기업 가치 평가 등을 종합적으로 분석하여 최종적으로 해당 기업의 투자 가치를 평가합니다.

종합적인 분석에서는 위에서 파악한 정보들을 종합하여 해당 기업이 적정한 투자 대상인지를 판단합니다. 이를 통해 적절한 투자 전략을 수립하고, 투자의 위험성을 최소화하여 안정적인 수익을 추구할 수 있습니다.

위에서 언급한 기업분석, 산업 분석, 경쟁사 분석, 경영진 분석, 시장 분석, 기업 가치 평가 등은 펀더멘탈 분석의 주요한 요소들입니다. 이들을 종합적으로 분석하여 해당 기업의 투자 가치를 평가하고 적절한 투자 전략을 수립할 수 있습니다. 그러나 이와 같은 분석에서는 주관적인 판단과 예측 요소가 포함되어 있기 때문에 완벽한 결과를 보장하지는 않습니다. 따라서 펀더멘탈 분석은 투자 결정을 하는 데 있어서 참고할 수 있는 하나의 도구일 뿐, 기업이나 시장의 변화에 따라서 업데이트 및 보완이 필요합니다.

고등학생도 할 수 있다!

또한 펀더멘탈 분석은 단기적인 투자보다는 중장기적인 투자에 적합합니다. 기업의 재무제표 분석, 경쟁사 분석, 시장 분석 등은 일정한 시간 동안의 데이터를 기반으로 하기 때문에 장기적인 관점에서 기업의 성장 가능성과 가치를 예측할 수 있습니다. 마지막으로 펀더멘탈 분석은 주식투자에만 국한된 것이 아니라, 기업의 적합성을 평가하는데 다양한 분야에서 사용됩니다. 예를 들어 신용 평가 기관에서는 기업의 신용도를 판단하기 위해 펀더멘탈 분석을 사용하고 있습니다.

요약하자면 펀더멘탈 분석은 기업 분석, 산업 분석, 경쟁사 분석, 경영진 분석, 시장 분석, 기업가치 평가 등을 종합적으로 분석하여 해당 기업의 투자 가치를 평가하는 것입니다. 이를 통해 적절한 투자 전략을 수립하고 안정적인 수익을 추구할 수 있습니다. 그러나 이와 같은 분석에서는 주관적인 판단과 예측 요소가 포함되어 있기 때문에 기업이나 시장의 변화에 따라서 업데이트 및 보완이 필요하며 중장기적인 투자에 적합합니다.

매매 수수료와 세금 등 부가비용에 대한 이해

매매 수수료와 세금 등 부가비용은 주식투자에 있어서 중요한 요소입니다. 이러한 부가비용들은 투자 수익을 감소시키므로 투자자는 충분한 이해와 계획이 필요합니다.

우선 매매 수수료는 주식 거래를 할 때 증권사에 지불하는 수수료입니다. 매매 수수료는 증권사에 따라 다르며 거래 금액의 일정 비율로 책정됩니다. 보통 거래 금액의 0.1% ~ 0.5% 정도로 책정되며 거래 금액이 크면 클수록 비율이 낮아집니다. 일부 증권사에서는 최소 수수료를 적용하기도 합니다. 매매 수수료는 매매 시에만 적용되며 보유 중인 주식의 가치에는 영향을 미치지 않습니다.

또한 매매 수수료 외에도 주식 거래에는 다양한 부가비용이 있습니다. 예를 들어 거래세는 매도 시에 적용되는 세금으로 매도 금액의 0.3%가 부과됩니다. 또한 증권거래세도 매도 금액의 0.3%가 부과되며 증권금융거래세는 매수 금액의 0.15%가 부과됩니다. 이러한 부가 비용들은 투자 수익을 감소시키므로 투자자는 충분한 이해와 계획이 필요합니다. 이와 같은 부가

비용들은 투자자가 주식투자를 할 때 고려해야 할 중요한 요소입니다. 따라서 투자자는 매매 수수료와 부가비용들을 줄이는 방법을 고민해야 합니다.

첫째, 거래 금액이 작은 경우에는 매매 수수료가 큰 비중을 차지하므로 짧은 기간 내에 많은 거래를 하는 것보다는 장기적인 투자를 하는 것이 더 효율적일 수 있습니다. 예를 들어 매매 수수료가 0.3%이고 거래 금액이 1,000만 원인 경우, 매매 비용은 3만 원입니다. 이 경우, 1년간 보유한 후에 매도하면 매매 비용이 3만 원으로 고정되므로 거래 금액이 크면 비율적으로 매매 비용이 낮아집니다. 따라서 투자자는 거래 금액을 적절히 조절하여 매매 비용을 최소화할 수 있습니다.

둘째, 세금과 같은 부가 비용은 불가피한 부분이지만 세금을 줄일 수 있는 방법도 있습니다. 예를 들어 주식 보유 기간이 1년 이상인 경우에는 매도 시에 발생하는 세금을 줄일 수 있습니다. 이는 장기적인 투자를 할 경우에 유리한 점 중 하나입니다.

셋째, 매매 수수료와 부가비용은 증권사별로 차이가 있으므로 투자자는 다양한 증권사를 비교하여 자신에게 가장 적합한 증권사를 선택해야 합니다. 이를 통해 매매 수수료와 부가비용을 최소화할 수 있습니다.

매매 수수료와 세금 등 부가비용은 주식투자에 있어서 중요한 요소입니다. 이러한 부가 비용들은 투자 수익을 감소시키므로 투자자는 충분한 이해와 계획이 필요합니다. 거래 금액을 적절히 조절하거나 주식 보유 기간을 늘리는 등의 방법으로 매매 비용을 최소화하고 적절한 증권사를 선택하여 부가비용을 줄이는 것이 중요합니다. 이를 통해 투자 수익을 최대화할 수 있습니다.

또한 부가 비용들을 고려하여 투자 수익을 예측하는 것도 중요합니다. 예를 들어 100만원을 투자하고 10%의 수익을 예상할 경우, 매매 수수료와 부가비용을 고려하여 실제 수익률을 계산해야 합니다. 만약 매매 수수료가 0.3%이고, 거래세와 증권거래세가 각각 0.3%라면 투자 수익은 9.1%로 계산됩니다. 따라서 투자자는 투자 수익을 예측할 때 부가 비용들을 고려하여 실제 수익률을 계산해야 합니다.

매매 수수료와 세금 등 부가비용은 투자자가 어떤 주식을 매매할 때 발생하는 고정적인 비용입니다. 따라서 투자자는 이러한 부가 비용들을 효율적으로 관리하고 최소화하여 투자 수익을 극대화할 수 있습니다. 이를 위해서는 투자자는 거래 금액을 적절히 조절하거나 주식 보유 기간을 늘리는 등의 방법으로 매매 비용을 최소화하고, 적절한 증권사를 선택하여 부가비용을 줄여야 합니다. 또한 부가 비용들을 고려하여 투자 수익을 예측하는 것도 중요합니다. 이러한 고민과 계획이 없이 주

고등학생도 할 수 있다!

식을 매매할 경우, 부가 비용들이 예상치 못한 수익 감소를 가져올 수 있으므로 투자 전 충분한 이해와 계획이 필요합니다.

매매 수수료와 세금 등 부가비용은 주식투자에서 빼놓을 수 없는 요소이며 이들을 효율적으로 관리하여 투자 수익을 극대화할 수 있습니다. 이를 위해서는 투자자는 먼저 자신이 투자하는 증권사에서 적용하는 매매 수수료와 부가비용을 충분히 파악해야 합니다. 각 증권사에서 적용하는 매매 수수료는 거래 금액에 따라 차이가 있으므로 거래할 금액이 많은 경우 적절한 증권사를 선택하여 매매 비용을 줄일 수 있습니다.

또한 세금은 불가피한 부분이지만 주식 보유 기간이 1년 이상인 경우에는 매도 시에 발생하는 세금을 줄일 수 있습니다. 이는 장기적인 투자를 할 경우에 유리한 점 중 하나입니다. 또한 일부 증권사에서는 투자자가 투자한 금액을 일정 기간 내에 유지하면 일부 매매 수수료를 할인해 주는 등의 혜택을 제공하기도 하므로 이를 이용하여 부가비용을 줄이는 것도 방법입니다.

또한 거래 금액을 적절히 조절하여 매매 비용을 최소화 할 수 있습니다. 예를 들어 거래 금액이 작은 경우에는 매매 수수료가 큰 비중을 차지하므로 짧은 기간 내에 많은 거래를 하는 것보다는 장기적인 투자를 하는 것이 더 효율적일 수 있습니다. 또한 투자자는 매매 수수료와 부가비용을 최소화하기 위해 다양한 증권사를 비교하여 자신에게 가장 적합한 증권사를 선택해야 합니다.

매매 수수료와 부가비용은 투자 수익을 감소시키는 중요한 요소이므로 투자자는 이들을 효율적으로 관리하고 최소화하여 투자 수익을 극대화해야 합니다. 이를 위해 투자자는 충분한 이해와 계획을 수립하고 부가 비용들을 고려하여 투자 수익을 예측하는 것이 필요합니다. 이러한 고민과 계획 없이 주식을 매매할 경우, 예상치 못한 수익 감소를 가져올 수 있으므로 투자 전 충분한 조사와 계획이 필요합니다. 또한 주식투자에 있어서는 매매 수수료와 세금 등의 부가비용 외에도 기업 실적, 경제 상황, 산업 동향 등의 다양한 요소를 고려해야 합니다. 이러한 요소들을 종합적으로 고려하여 투자 결정을 내리는 것이 중요합니다.

이어서 해외 주식을 할 경우 고려해야 할 부가비용에 대해 설명하겠습니다.

1. 환전 수수료

해외 주식을 매수하기 위해서는 외화를 국내 화폐로 환전해야 합니다. 이 때 외화 환전 수수료가 부과됩니다. 외화 환전 수수료는 국내 은행이나 환전 업체에 따라 다양하게 책정되며 일반적으로는 거래 금액의 일정 비율로 책정됩니다.

2. 증권사 수수료

해외 주식 거래를 위해서는 해당 국가에서 운영되는 증권사를 통해 거래를 해야 합니다. 해외 증권사에 따라 매매 수수료가 다르게 책정되며, 국내 증권사에 비해 수수료가 높은 경우가 많습니다. 또한 해외 증권사에서는 일반적으로 외화로 거래를 진행하므로 외화 환전 수수료도 함께 부과됩니다.

3. 외국 세금

해외 주식 거래에서는 해당 국가에서 부과하는 세금도 부가비용으로 고려해야 합니다. 각 국가에서는 주식 거래에 대한 세금을 부과하며, 이는 해당 국가의 세법에 따라 다르게 적용됩니다. 일반적으로는 매도 시에 발생하는 세금이 부과되며 국가별로 세율이 다릅니다.

위와 같이 해외 주식투자에는 국내 주식투자와는 다른 부가 비용들이 존재합니다. 이러한 부가 비용들은 투자 자금을 감소시키므로 해외 주식투자를 할 때는 충분한 이해와 계획이 필요합니다. 투자자는 해외 증권사에서 적용하는 매매 수수료와 부가 비용을 충분히 파악하고 외화 환전 수수료, 외국 세금 등의 부가비용도 고려하여 투자 금액을 결정해야 합니다. 또한 국내 증권사와 달리 해외 증권사에서는 외화로 거래가 이루어지므로 환율 변동에 따른 위험도 고려해야 합니다.

또한 해외 주식투자는 국내 주식투자와는 다른 시간대와 언어, 문화 등 다양한 차이점이 존재하기 때문에 이러한 차이점을 고려하여 투자 계획을 세우는 것이 중요합니다. 예를 들어 미국 주식을 매매하는 경우, 미국 시간대에 거래가 이루어지므로 한국 시간대와 차이가 있어야 합니다. 또한 주식 정보나 기업 실적 등을 이해하기 위해서는 해당 국가의 언어와 문화에 대한 이해가 필요합니다.

마지막으로, 해외 주식투자는 국내 주식투자보다 높은 수익률을 기대할 수 있지만, 그만큼 위험도 높아집니다. 따라서 투자자는 자신의 투자 프로필과 위험 성향을 파악한 후, 적절한 분산투자와 리스크 매니지먼트를 수행하는 것이 중요합니다. 이를 통해 안정적이고 수익성 높은 해외 주식투자를 할 수 있습니다.

매매 수수료와 세금 등 부가비용은 주식투자에서 빼놓을 수 없는 요소입니다. 이러한 부가 비용들을 효율적으로 관리하고 최소화하여 투자 수익을 극대화할 수 있습니다. 이를 위해서는 투자자는 적절한 증권사를 선택하고 거래 금액을 조절하여 매매 비용을 최소화하고 추가비용을 고려하여 투자 수익을 예측하는 것이 필요합니다. 충분한 이해와 계획 없이 주식을 매매할 경우, 부가 비용들이 예상치 못한 수익 감소를 가져올 수 있으므로 투자 전 충분한 조사와 계획이 필요합니다.

Chapter4
고등학생이 성공적인
주식투자를 위한
팁과 전략

투자 전략의 종류

고등학생이 주식투자를 하기 위해서는 많은 것들을 고려해야 합니다. 지식, 전략, 리스크 매니지먼트, 감정 관리, 자금 등 다양한 요소를 준비하고 공부하면서 경험을 쌓아나가는 것이 중요합니다. 이번에는 주식투자를 하기 위해 준비해야 할 요소들에 대해 더 깊고 자세히 알아보겠습니다.

첫째, 주식투자를 위해 가장 중요한 것은 충분한 지식과 이해입니다. 주식투자는 매우 복잡한 분야로 기업의 재무제표, P/E 비율, 주가 대비 적정 가격, 기술적 분석, 주식시장의 흐름 등 다양한 지표와 개념들을 이해하는 것이 필수적입니다. 이를 위해서는 기본적인 경제학과 회계학 개념을 이해하고 기업의 재무제표와 주요 지표들을 분석하는 방법을 익혀야 합니다.

둘째, 주식시장의 흐름을 파악하기 위해서는 주식시장의 역사와 주요 지표들을 파악하는 것이 필요합니다. 시가총액, KOSPI, NASDAQ, NYSE 등 주요 지표들을 익히고 이를 토대로 주식시장의 상황과 흐름을 파악해야 합니다. 이를 위해서는 주식시장과 금융시장에 대한 이해도가 필요합니다.

셋째, 주식투자에서는 다양한 전략과 방법이 존재합니다. 가치투자, 성장주 투자, 종목분석 기반 투자, 기술적 분석 기반 투자, 지수투자, 퀀트 투자, 자산 배분 투자, 헤지 펀드 등이 있습니다. 각각의 전략과 방법은 그 특성과 장단점을 가지고 있으며, 투자자의 성향과 목적에 따라 선택해야 합니다. 예를 들어 가치투자는 저평가된 기업의 주식을 찾아 매수하는 전략으로, 장기적인 안정성을 추구하는 투자자에게 적합합니다. 반면에 성장주 투자는 기업의 성장성을 중시하여 주식을 매수하는 전략으로 수익을 추구하는 투자자에게 적합합니다. 이를 위해서는 각 전략과 방법의 특징을 파악하고 자신의 투자 목적과 성향에 맞게 선택해야 합니다.

넷째, 주식투자에서는 적절한 리스크 매니지먼트와 포트폴리오 관리가 필요합니다. 투자 금액을 분산하여 다양한 종목에 투자하여 포트폴리오의 안정성을 높이고, 투자 금액의 일부를 보전하는 데에 효과적입니다. 또한 투자 금액의 일부를 현금화하여 급전이 필요한 상황에 대비하는 것도 중요합니다. 이를 위해서는 투자 금액을 분산시키는 방법과 포트폴리오의 조정 방법 등을 익혀야 합니다.

다섯째, 주식투자에서는 감정 관리가 매우 중요합니다. 주식시장은 언제나 변동성이 높기 때문에 감정적인 흐름에 따라 투자 결정을 내리면 안정적인 수익을 기대하기 어렵습니다. 따라서 투자자는 감정적인 흐름에서 벗어나서 분석과 판단을 기반으로 한 이성적인 투자를 할 수 있도록 해야 합니다.

여섯째, 주식투자는 단순히 주식을 사고 팔기만 하는 것이 아닙니다. 적절한 리스크 매니지먼트와 포트폴리오 관리가 필요합니다. 또한 투자 금액을 분산하여 다양한 종목에 투자하여 포트폴리오의 안정성을 높이고, 투자 금액의 일부를 보전하는 데에 효과적입니다. 이를 위해서는 포트폴리오의 조정 방법과 투자 금액의 분산 방법 등을 익혀야 합니다.

일곱째, 주식투자에서는 지속적인 학습과 경험이 필요합니다. 초기에는 작은 금액으로 시작하여 경험을 쌓아나가고, 연구와 분석을 통해 지식을 보강하고 전략을 조정해 나가는 것이 필요합니다. 또한 투자에서는 실패와 성공이 함께합니다. 따라서 실패를 통해 배우고 성공을 통해 자신의 투자 실력을 향상시켜 나가야 합니다.

여덟째, 주식투자를 위해 필요한 자금을 마련하는 것도 중요합니다. 주식투자는 투자 금액이 적을 경우 수익도 적게 나오므로 충분한 자금이 필요합니다. 또한 자금을 마련할 때는 주식투자를 위한 별도의 자금을 마련하는 것이 좋습니다. 일상생활에서 필요한 자금과 주식투자 자금을 구분하여 투자 금액을 산정하고, 투자 금액이 일상생활에 지장을 주지 않는 범위 내에서 설정하도록 합니다.

고등학생도 할 수 있다!

아홉째, 주식투자에서는 주식시장의 상황과 흐름을 지속적으로 모니터링하는 것이 필요합니다. 주식시장은 언제나 변동성이 높기 때문에 주식시장의 상황과 흐름을 지속적으로 파악하고 분석하는 것이 중요합니다. 이를 위해서는 다양한 정보와 데이터를 수집하고 분석하는 능력이 필요합니다. 또한 주식시장에서 일어나는 이슈와 뉴스를 지속적으로 체크하고 분석하여 주식투자에 대한 전략을 조정하거나 조절해 나가야 합니다.

열째, 주식투자에서는 수익성을 중시하는 것보다 안정성을 중시하는 것이 좋습니다. 수익성이 높은 종목은 리스크도 높기 때문에 수익성을 중시하는 것보다는 안정적인 수익을 추구하는 것이 중요합니다. 따라서 안정적인 주식을 선택하고 리스크 매니지먼트와 포트폴리오 관리를 통해 안정적인 수익을 추구하는 것이 필요합니다.

열한째, 주식투자에서는 장기적인 시각으로 투자하는 것이 중요합니다. 주식시장은 단기적인 변동성이 높지만 장기적으로는 안정적인 성장을 이루는 경향이 있습니다. 따라서 주식투자를 할 때는 장기적인 시각으로 투자를 계획하고 전략을 조정하면서 긴 시간 동안 투자를 지속하는 것이 중요합니다.

열두째, 주식투자에서는 주식을 선택할 때 기업의 재무제표와 실적을 분석하는 것이 중요합니다. 주식투자에서는 기업의 재무제표와 실적을 분석하여 주식 가치를 평가하는 것이 필요합니다. 기업의 재무제표는 기업의 건전성과 안정성을 확인하는 데 중요한 역할을 합니다. 이를 통해 기업의 자산, 부채, 수익, 비용 등을 파악하고 기업의 재무 상태와 성장성을 판단할 수 있습니다. 또한 기업의 실적은 기업이 만들어낸 수익과 이익을 나타내는데, 주가와 밀접한 관련이 있습니다. 따라서 기업의 재무제표와 실적을 분석하여 주식 가치를 평가하고 투자 결정을 내리는 것이 중요합니다.

열셋째, 주식투자에서는 투자에 필요한 시간과 노력을 투자하는 것이 필요합니다. 주식투자는 단기적인 수익을 추구하는 것이 아닌, 장기적인 성장을 추구하는 것입니다. 따라서 투자에 필요한 시간과 노력을 투자하여 기업과 시장에 대한 지식을 쌓고 주식시장의 상황과 흐름을 지속적으로 파악하고 포트폴리오를 조정하는 등의 노력이 필요합니다. 이를 통해 안정적인 수익을 추구하고 장기적인 성장을 이루는 투자를 할 수 있습니다.

열넷째, 주식투자에서는 여러 가지 요소들이 상호작용하며 영향을 미치기 때문에 전문가들의 조언과 정보를 수집하고 분석하는 것이 중요합니다. 주식시장은 언제나 예측하기 어려우며 투자 결정은 대개 복잡한 판단과 분석을 필요로 합니다. 따라서 전문가들의 조언과 정보를 수집하고 분석하여, 투자 결정을 내리는 것이 중요합니다. 이를 통해 더욱 높은 수준의 투자 결정을 내릴 수 있고, 안정적인 수익을 추구할 수 있습니다.

고등학생도 할 수 있다!

결론적으로 주식투자는 많은 준비와 노력이 필요한 분야입니다. 충분한 지식과 이해, 전략과 방법, 리스크 매니지먼트와 포트폴리오 관리, 감정 관리, 자금 등 다양한 요소를 고려하여 투자 결정을 내리는 것이 중요합니다. 또한 안정적인 수익을 추구하기 위해 장기적인 시각과 투자 금액을 분산시키는 등의 포트폴리오 관리가 필요합니다. 주식시장의 상황과 흐름을 지속적으로 모니터링하고 이를 바탕으로 전략을 조정하며 전문가들의 조언과 정보를 수집하여 투자 결정을 내리는 것도 중요한 요소입니다.

그러나 주식투자는 높은 수익을 추구할 수 있는 만큼 높은 리스크도 함께 따르고 있습니다. 따라서 투자를 시작하기 전에는 자신의 투자 목적과 성향, 그리고 자금 상황 등을 고려하여 충분한 준비를 하고 투자에 대한 전반적인 지식을 습득하는 것이 중요합니다.

또한 주식투자는 단기적인 수익을 추구하는 것이 아닌 장기적인 시간 동안 안정적인 수익을 추구하는 것입니다. 따라서 장기적인 시각으로 투자 계획을 세우고 전략을 조정하며, 지속적인 학습과 경험을 통해 자신의 투자 실력을 향상시켜 나가는 것이 중요합니다.

마지막으로, 주식투자는 투자자 본인의 책임 아래 이루어지는 것이며 투자 결과에 따라 손실이 발생할 수 있습니다. 따라서 투자 금액의 분산과 리스크 매니지먼트를 통해 가능한 손실을 최소화하고 안정적인 수익을 추구하는 것이 중요합니다. 또한 투자 결정에 있어 전문가의 조언과 정보 수집은 도움이 되지만 본인의 판단과 책임하에 투자 결정을 내리는 것이 필요합니다.

주식투자는 높은 수익을 추구할 수 있는 만큼 높은 리스크를 동반하고 있습니다. 하지만 충분한 준비와 지식, 전략과 방법, 리스크 매니지먼트와 포트폴리오 관리, 감정 관리, 자금 등 다양한 요소를 고려하면서 투자를 진행하면 안정적인 수익을 추구할 수 있습니다. 따라서 자신의 투자 목적과 성향, 그리고 자금 상황 등을 고려하여 충분한 준비를 하고 장기적인 시각으로 투자 계획을 세우며 지속적인 학습과 경험을 통해 자신의 투자 실력을 향상시켜 나가는 것이 중요합니다. 마지막으로 본인의 판단과 책임하에 투자 결정을 내리는 것이 필요합니다.

고등학생도 할 수 있다!

리스크 관리와 포트폴리오 다변화의 중요성

주식시장은 항상 불안정하며 투자하는 종목에 따라 큰 손실을 입을 수 있습니다. 따라서 투자자는 이러한 위험성을 최소화하고 안정적인 수익을 추구하기 위해 리스크 관리와 포트폴리오 다변화에 대해 충분히 고민해야 합니다.

리스크 관리는 투자자가 손실을 최소화하는 방법으로, 다양한 방법이 있습니다. 첫째, 자금 관리를 통해 리스크를 관리할 수 있습니다. 자금 관리는 투자자의 자산을 적절하게 분배하는 것으로 어떤 한 종목에 대한 투자 금액을 너무 많이 투자하지 않도록 합니다. 적절한 투자 금액을 정하고 그 금액을 넘어서는 투자를 하지 않도록 하는 것이 중요합니다.

둘째, 리스크 관리를 위해 투자 포트폴리오를 구성할 때 여러 종목에 투자하여 포트폴리오의 리스크를 분산시키는 것이 중요합니다. 포트폴리오 다변화를 통해 투자자는 리스크를 분산시키고 안정적인 수익을 추구할 수 있습니다. 포트폴리오를 구성할 때는 다양한 산업군의 종목을 골라서 투자하는 것이 좋습니다. 예를 들어 IT 기업, 금융 기업, 제조 기업 등 다양한 산업군의 종목에 투자하여 리스크를 분산시키는 것이 좋습니다.

또한 포트폴리오를 구성할 때는 투자 기간, 투자 목표, 투자자의 성격 등을 고려하여 종목을 선택하는 것이 중요합니다. 투자 기간이 길다면 장기적으로 안정적인 성장 가능성이 높은 종목을 선택하고, 투자 기간이 짧다면 빠른 성장 가능성이 있는 종목을 선택하는 것이 좋습니다. 또한 투자자의 투자 목표에 따라 종목을 선택해야 합니다. 수익률 중심의 투자라면 고배당 주식이나 저평가 주식 등을 선택하고, 자산 보전 중심의 투자라면 안정적인 배당을 지급하는 주식이나 성장 잠재력이 높은 기업에 투자하는 것이 좋습니다. 투자자의 성격에 따라서도 투자 전략이 달라질 수 있습니다. 보수적인 투자자라면 안정적이고 보수적인 종목을 선택하고 공격적인 투자자라면 성장 잠재력이 높은 종목에 투자하는 것이 좋습니다.

포트폴리오 다변화를 통해 얻을 수 있는 이점은 여러 가지가 있습니다. 첫째, 포트폴리오 다변화를 통해 리스크를 분산시킬 수 있습니다. 포트폴리오 내의 모든 종목이 동시에 하락할 가능성은 적기 때문에 여러 종목에 투자하여 포트폴리오의 리스크를 분산시키는 것이 중요합니다. 둘째, 포트폴리오 다변화를 통해 안정적인 수익을 추구할 수 있습니다. 다양한 종목에 투자하면 투자자의 자산이 안정적으로 운영되기 때문에 안정

고등학생도 할 수 있다!

적인 수익을 추구할 수 있습니다. 셋째, 포트폴리오 다변화를 통해 투자자의 감정적인 흔들림을 최소화할 수 있습니다. 하나의 종목에만 집중적으로 투자하면 그 종목의 변동성에 매우 민감하게 반응하게 되므로 다양한 종목에 투자하면 전체적인 포트폴리오의 변동성이 줄어들기 때문에 투자자의 감정적인 흔들림을 최소화할 수 있습니다.

포트폴리오 다변화를 통해 얻을 수 있는 이점은 매우 크지만 이를 구현하는 것은 쉽지 않습니다. 포트폴리오를 구성할 때는 다양한 산업군의 종목을 선택하는 것이 중요합니다. 예를 들어 IT 기업, 금융 기업, 제조 기업 등 다양한 산업군의 종목에 투자하여 리스크를 분산시키는 것이 좋습니다. 그러나 각 산업군 내의 종목들도 서로 다른 성격과 특성을 가지므로 이를 고려하여 비율을 조절하는 것이 필요합니다.

포트폴리오 내의 종목 비율을 적절하게 조절하기 위해서는 개별 종목에 대한 분석과 평가가 필요합니다. 각 종목의 실적, 경영진, 시장 상황 등을 종합적으로 고려하여 선택하는 것이 중요합니다. 이를 통해 안정적인 수익을 추구하면서도 높은 수익을 얻을 수 있는 종목을 찾아내는 것이 가능합니다.

또한 포트폴리오 내의 종목 비율은 시장 상황에 따라 변할 수 있습니다. 어떤 산업군의 종목이 시장 상황에 따라 비중이 높아졌다면 다른 산업군의 종목에 투자하여 비중을 조절하는 것이 필요합니다. 이를 리밸런싱이라고 합니다. 리밸런싱은 일정한 주기로 수행하는 것이 좋으며, 이를 통해 포트폴리오의 안정성과 수익성을 유지할 수 있습니다.

포트폴리오 다변화는 모든 리스크를 완전히 제거하는 것은 아니지만 투자자의 손실을 최소화하고 안정적인 수익을 추구하는 데 큰 도움을 줄 수 있습니다. 그러나 포트폴리오 다변화는 단순한 종목 선택과 리밸런싱으로 끝나지 않습니다. 투자자는 투자 환경과 시장 상황의 변화를 지속적으로 감안하면서 포트폴리오를 조정해 나가야 합니다.

예를 들어 금융 위기, 전쟁, 자연재해 등과 같은 예기치 않은 사건이 발생하면 시장 전체가 큰 폭으로 하락할 수 있습니다. 이런 경우에는 일반적인 포트폴리오 다변화만으로는 손실을 막기 어렵습니다. 따라서 이런 상황에 대비하여 적극적으로 대처할 수 있는 금융 상품에 투자하는 것이 중요합니다. 예를 들어 황금, 채권, 현금 등 안정적인 자산에 투자하거나 금융 위기 대처를 전문적으로 하는 헤지펀드에 투자하는 것이 가능합니다.

리스크 관리와 포트폴리오 다변화는 주식투자에서 매우 중요한 요소입니다. 투자자는 자금 관리를 통해 투자 금액을 적절하게 분배하고 포트폴리오 내의 종목 비율을 조절하고 개별 종목에 대한 분석과 평가를 수행하며 리밸런싱을 통해 포트폴리오를 유지하는 것이 필요합니다. 이를 통해 투자자는 안정적

고등학생도 할 수 있다!

인 수익을 추구하면서도 손실을 최소화할 수 있는 포트폴리오를 구성할 수 있습니다.

리스크 관리와 포트폴리오 다변화는 투자자의 안정적인 수익 추구를 위해 매우 중요한 요소입니다. 포트폴리오 다변화를 통해 포트폴리오의 리스크를 분산시키고 안정적인 수익을 추구할 수 있으며 리스크 관리를 통해 손실을 최소화할 수 있습니다. 이를 위해서는 자금 관리와 포트폴리오 구성, 개별 종목 분석과 리밸런싱 등 다양한 과정을 거쳐야 합니다. 또한 투자자는 투자 기간, 목표, 성격 등에 따라서 포트폴리오 구성을 조정해 나가야 하며 예기치 않은 상황에 대비하는 금융 상품에 대한 이해도 필요합니다.

따라서 주식투자는 불확실성이 높은 활동입니다. 투자자는 리스크 관리와 포트폴리오 다변화에 충분한 고민과 준비를 해야 합니다. 자금 관리를 통해 투자 금액을 적절하게 분배하고 여러 산업군의 종목에 투자하여 포트폴리오의 리스크를 분산시키는 것이 중요합니다. 또한 포트폴리오 내의 종목 비율을 조절하고 개별 종목에 대한 분석과 평가를 수행하며 리밸런싱을 통해 포트폴리오를 유지하는 것이 필요합니다. 이러한 노력을 통해 투자자는 안정적인 수익을 추구하면서도 손실을 최소화할 수 있는 포트폴리오를 구성할 수 있습니다.

그리고 마지막으로 투자자는 투자 활동에서 인간의 심리적인 특성과 편향에 대한 이해도 필요합니다. 예를 들어 강한 감정으로 인한 행동은 투자 결정에 큰 영향을 끼칠 수 있습니다. 이러한 감정적인 요소들을 제외하고 객관적인 분석과 판단을 내리기 위해서는 투자에 대한 충분한 지식과 경험이 필요합니다. 이를 위해서는 끊임없는 자기 교육과 전문가들의 조언 등을 수용하여 자신만의 투자 철학을 갖추는 것이 중요합니다.

결론적으로 리스크 관리와 포트폴리오 다변화는 주식투자에서 꼭 필요한 요소입니다. 또한 투자자는 투자 환경과 시장 상황의 변화를 지속적으로 감안하여 포트폴리오를 조정해 나가야 합니다. 이를 통해 안정적인 수익을 추구하면서도 손실을 최소화할 수 있는 포트폴리오를 구성할 수 있습니다. 최신 정보와 지식을 습득하고 끊임없이 학습하며 자신만의 투자 철학을 갖추는 것이 중요합니다.

고등학생도 할 수 있다!

최신 주식시장 동향 분석 보고서 활용 방법

주식시장은 경제 활동의 중심 지점 중 하나입니다. 투자자들은 주식시장에서 다양한 회사의 주식에 투자하여 자신의 자산을 증대시키는 데 사용합니다. 그러나 주식시장은 불확실한 환경이므로 투자자는 최신 주식시장 동향과 분석 보고서를 활용하여 투자 결정을 내리는 것이 좋습니다. 이번에는 최신 주식시장 동향과 분석 보고서를 활용하는 방법에 대해 알아보겠습니다.

1. 최신 주식시장 동향을 파악하라

최신 주식시장 동향을 파악하는 것은 투자자들에게 매우 중요합니다. 주식시장은 변동성이 높기 때문에 투자자는 시장의 상황을 파악하고 변화하는 시장에 대응할 수 있도록 최신 동향을 계속해서 살펴봐야 합니다. 최신 주식시장 동향을 파악하는 방법으로는 뉴스, 금융 매체, 경제 보고서, 분석 보고서 등을 활용하는 것이 있습니다.

2. 분석 보고서를 활용하라

분석 보고서는 주식시장의 동향과 전망에 대한 정보를 제공합니다. 보고서는 종목 분석, 기업 분석, 산업 분석 등 다양한 정보를 담고 있으며 이를 활용하여 투자 결정을 내리는 것이 좋습니다. 분석 보고서는 대개 기업의 재무 상태, 경영 전략, 시장 점유율, 경쟁 상황, 산업 동향 등 다양한 정보를 제공합니다. 이를 활용하여 종목 선정, 매수/매도 결정, 포트폴리오 구성 등의 결정을 내릴 수 있습니다.

3. 기술적 분석을 수행하라

기술적 분석은 차트와 기술적 지표를 이용하여 주식시장의 동향과 향후 전망을 예측하는 분석 방법입니다. 차트 분석은 가격 변화와 거래량을 나타내는 차트를 통해 추세를 파악하고 기술적 지표는 주식시장의 상태를 파악할 수 있는 여러 가지 지표들을 이용하여 주식시장의 동향을 예측합니다. 기술적 분석은 투자자들이 주식시장의 추세를 파악하는 데 유용한 도구입니다. 투자자들은 기술적 분석을 통해 언제 주식을 매수/매도할지를 결정할 수 있으며 기술적 분석을 활용하여 주식시장의 향후 전망을 예측할 수 있습니다.

기술적 분석에서는 다양한 지표를 활용하여 주식시장을 분석합니다. 이 중 일부 지표는 다음과 같습니다.

고등학생도 할 수 있다!

이동평균선 : 일정 기간의 주가를 평균한 값을 나타냅니다. 이동평균선을 활용하여 주식시장의 추세를 파악할 수 있습니다.

상대강도지수(RSI) : 상대강도지수는 일정 기간의 주가 상승분과 하락분을 비교하여 주식시장의 상태를 파악하는 지표입니다.

볼린저밴드 : 볼린저밴드는 주가의 변동성을 나타내는 지표로 상한선과 하한선으로 이루어져 있습니다. 주가가 상한선에 가까워지면 과매수 상태, 하한선에 가까워지면 과매도 상태라고 판단할 수 있습니다.

투자자는 이러한 지표들을 활용하여 주식시장의 추세를 파악하고 주식시장의 상황에 따라 매수/매도 결정을 내리는 것이 좋습니다.

4. 경제 보고서를 활용하라

경제 보고서는 주식시장의 동향을 분석하는 데 중요한 정보를 제공합니다. 경제 보고서는 국가 경제 상황, 금리 정책, 산업 생산량, 소비자 지출 등의 정보를 제공하며 이러한 정보를 바탕으로 주식시장의 향후 전망을 예측할 수 있습니다. 예를 들어 경제 보고서가 금리 인상을 예상한다면 투자자는 금리 인상에 대한 대처 방안을 모색하고 이에 따라 투자 결정을 내리는 것이 좋습니다.

5. 금융 매체를 활용하라

금융 매체는 주식시장에 대한 다양한 정보를 제공합니다. 주식시장의 상황, 최신 동향, 기업 분석, 전문가의 의견 등을 제공하며 이러한 정보를 바탕으로 투자자들은 투자 결정을 내릴 수 있습니다. 금융 매체에서는 종종 전문가들의 예측과 추천 종목, 섹터 등을 제공하기도 합니다. 이러한 정보를 활용하여 투자 결정을 내릴 수 있습니다. 그러나 투자자는 전문가들의 의견이나 추천 종목을 그대로 받아들이기보다는 이를 참고하고 자신만의 분석을 통해 투자 결정을 내리는 것이 좋습니다.

6. 뉴스를 활용하라

뉴스는 주식시장에서 일어나는 다양한 사건들과 관련된 정보를 제공합니다. 이러한 정보를 활용하여 주식시장의 상황을 파악하고 향후 전망을 예측할 수 있습니다. 예를 들어 기업의 재무상태가 좋지 않다는 뉴스가 나왔을 때 투자자는 해당 기업의 주식을 매도하거나 다른 기업의 주식을 매수하는 결정을 내릴 수 있습니다.

7. 포트폴리오를 구성하라

주식시장에서는 다양한 종목들이 존재합니다. 이러한 종목들을 조합하여 포트폴리오를 구성하는 것이 중요합니다. 포트폴리오를 구성함에 있어서는 리스크 관리와 포트폴리오 다변화

고등학생도 할 수 있다!

가 필수적입니다. 특정 종목이나 산업군에만 집중하면 투자 리스크가 높아질 수 있기 때문입니다. 따라서 투자자는 다양한 종목과 산업군을 조합하여 포트폴리오를 구성하고 포트폴리오의 리스크를 분산시키는 것이 좋습니다.

마지막으로 투자자는 주식시장에서의 행동에 대한 심리적인 측면도 고려해야 합니다. 주식시장에서는 감정적인 요소들이 투자 결정에 영향을 미칠 수 있습니다. 따라서 투자자는 객관적인 분석과 판단을 내리기 위해 주식시장에 대한 충분한 지식과 경험이 필요합니다. 이를 위해서는 끊임없는 자기 교육과 전문가들의 조언 등을 수용하여 자신만의 투자 철학을 갖추는 것이 중요합니다.

종합적으로 최신 주식시장 동향과 분석 보고서를 활용하여 주식시장의 상황을 파악하고 기업 분석과 기술적 분석을 수행하여 투자 결정을 내리는 것이 중요합니다. 또한 경제 보고서, 금융 매체, 뉴스 등 다양한 정보를 활용하여 주식시장의 상황을 파악하고 포트폴리오를 구성하는 것이 필요합니다. 포트폴리오 구성에서는 리스크 관리와 포트폴리오 다변화를 고려하여 포트폴리오의 리스크를 분산시켜야 합니다.

투자자들은 또한 주식시장에서의 심리적인 측면에 대해서도 고려해야 합니다. 주식시장은 불확실성이 높은 환경이기 때문에 강한 감정으로 인한 행동이 투자 결정에 영향을 미칠 수 있습니다. 따라서 투자자들은 객관적인 분석과 판단을 내리기 위해 주식시장에 대한 충분한 지식과 경험이 필요하며 자기 교육과 전문가들의 조언을 수용하여 자신만의 투자 철학을 갖추는 것이 중요합니다.

최신 주식시장 동향과 분석 보고서를 활용하는 것은 주식시장에서 안정적인 수익을 추구하면서 손실을 최소화하는 데 매우 중요합니다. 투자자들은 주식시장의 변화에 대한 이해도를 높이고 지속적인 자기 교육과 전문가들의 조언을 수용하여 자신만의 투자 철학을 구축해 나가는 것이 필요합니다.

이상으로 최신 주식시장 동향과 분석 보고서를 활용하는 방법에 대해 자세히 알아보았습니다. 주식시장은 불확실한 환경이지만 최신 동향과 분석 보고서를 활용하여 투자자들은 안정적인 수익을 추구하면서 손실을 최소화할 수 있습니다.

투자자들은 최신 뉴스, 경제 보고서, 금융 매체, 분석 보고서 등을 활용하여 주식시장의 상황을 파악하고 포트폴리오를 구성하는 것이 필요합니다. 또한 업무 분석과 기술적 분석을 수행하여 투자 결정을 내리는 것이 중요합니다.

포트폴리오 구성에서는 리스크 관리와 포트폴리오 다변화를 고려하여 포트폴리오의 리스크를 분산시켜야 합니다. 또한 투자자들은 주식시장에서의 심리적인 측면에 대해서도 고려해야 합니다. 주식시장은 불확실성이 높은 환경이기 때문에 강한 감정으로 인한 행동이 투자 결정에 영향을 미칠 수 있습니다. 따라서 객관적인 분석과 판단을 내리기 위해 주식시장에 대한 충분한 지식과 경험이 필요하며 자기 교육과 전문가들의 조언을 수용하여 자신만의 투자 철학을 갖추는 것이 중요합니다.

마지막으로 주식시장은 불확실한 환경이기 때문에, 투자에 따른 손실은 불가피합니다. 따라서 투자를 하기 전에는 충분한 조사와 분석을 통해 투자자 자신의 금융 상황과 투자 목적을 고려하여 신중하게 결정하는 것이 필요합니다.

이상으로 주식시장에서 최신 동향과 분석 보고서를 활용하는 방법에 대해 살펴보았습니다. 주식시장은 불확실한 환경이지만 최신 정보를 활용하여 안정적인 수익을 추구하면서 손실을 최소화할 수 있습니다. 투자에 앞서 충분한 조사와 분석을 통해 신중하게 결정하는 것이 중요합니다. 투자자들은 자기 교육과 전문가들의 조언을 수용하여 자신만의 투자 철학을 구축하고 주식시장에서의 객관적인 분석과 판단을 통해 안정적인 수익을 추구할 수 있습니다.

Chapter5
실전! 고등학생들의
주식투자 사례와
성과 분석

실제 고등학생들의 주식투자 사례와 성과 분석

고등학생들이 주식투자를 하는 경우가 있습니다. 이에 대한 성과 분석은 다양한 요인에 따라 달라질 수 있으며, 주식시장의 상황과 개인의 투자 전략에 따라 다르기 때문에 일반적인 결론을 내리기는 어렵습니다. 그러나 몇 가지 대표적인 사례를 살펴보겠습니다.

1. 미국

미국에서는 주식투자 교육이 중학교나 고등학교에서 시작될 수도 있습니다. 일부 나라들과 달리 미국에서는 법적인 제한이 없기 때문에 학생들은 부모나 법정대리인의 도움 없이도 주식투자를 할 수 있습니다. 미국에서는 이러한 교육과 경험을 토대로 성장한 많은 투자자들이 있습니다.

미국의 한 고등학생인 Sam Dogen은 미국 경제지수를 분석한 뒤에 코로나19 이후에 급등한 기술주에 투자하여 높은 수익을 얻었습니다. 이처럼 미국의 고등학생도 주식투자를 통해 자신의 재정 상황을 개선하는 경우가 있습니다.

2. 일본

일본에서는 고등학생들이 주식투자에 관심을 가지고 있습니다. 일본에서는 주식투자를 위한 교육이 중학교나 고등학교에서부터 시작됩니다. 일부 학교에서는 주식투자 동아리를 운영하거나 주식투자 관련 수업을 개설하기도 합니다. 일본의 경우 주식투자를 할 수 있는 연령은 20세 이상이지만 부모나 법정대리인의 동의를 받으면 18세 이상부터 주식투자를 시작할 수 있습니다.

실제로 일본의 고등학생 중 한명인 Daiki Nishioka는 2019년 초에 주식투자를 시작하여 한해 만에 투자금액의 50% 이상을 수익을 얻었습니다. 그는 미국의 기술주에 투자한 결과, 큰 이익을 얻었습니다.

3. 싱가포르

싱가포르에서는 주식투자를 위한 교육이 중학교와 고등학교에서 제공됩니다. 이러한 교육을 통해 학생들은 주식시장에 대한 이해도와 투자 전략을 배우게 됩니다.

실제로 싱가포르의 한 고등학생인 Goh Yong En은 2018년에 미국 기업인 테슬라의 주식을 구매하여 투자금액의 50% 이상을 수익으로 돌렸습니다. 이를 계기로 그는 주식투자에 대한 열정을 가지게 되었으며 여러 다른 기업의 주식에도 투자하게

고등학생도 할 수 있다!

되었습니다.

4. 중국

중국에서도 주식투자를 위한 교육이 이루어지고 있습니다. 중국에서는 최근 몇 년간 주식시장이 성장하면서 주식투자에 대한 관심이 높아졌습니다.

실제로 중국의 한 고등학생인 Zhang Yiyang은 2020년 초에 신종 코로나바이러스로 인한 주식시장의 하락을 이용하여 기술주에 대한 투자를 시작하였습니다. 그 결과 그의 투자 금액은 2배로 불어났습니다.

이처럼 세계 여러 나라의 고등학생들이 주식투자를 통해 성공한 사례들이 있지만 이는 일반적인 결론을 내리기는 어렵습니다. 주식시장의 상황과 개인의 투자 전략 등 다양한 요인이 성과에 영향을 미치기 때문입니다. 따라서 투자 결정을 내리기 전에 충분한 조사와 분석이 필요하며 위험을 최소화하기 위해 적절한 투자 전략을 수립해야 합니다.

성공적인 투자와 실패한 투자의 원인과 교훈

성공적인 투자와 실패한 투자의 원인과 교훈에 대해서는 다양한 측면이 존재합니다. 이 글에서는 투자의 기본 원칙, 성공적인 투자의 요소, 실패한 투자의 원인, 그리고 이를 통해 얻을 수 있는 교훈에 대해서 알아보겠습니다.

투자의 기본 원칙

투자를 할 때에는 항상 몇 가지 기본 원칙을 따르는 것이 중요합니다.

1. 투자의 목적을 명확히 파악하라

투자를 하기 전에는 반드시 투자의 목적을 명확히 파악해야 합니다. 이를 통해 투자에 대한 목표와 계획을 수립할 수 있습니다. 목적이 모호하거나 부적절한 경우, 투자 결과에 대한 불확실성이 높아집니다.

2. 자산 다변화를 실시하라

자산 다변화는 투자 리스크를 줄이기 위한 가장 기본적인 방법 중 하나입니다. 여러 종목에 투자하거나 산업군이나 지역별로 자산을 분산시키는 것이 좋습니다.

3. 투자 전략을 세워라

투자 전략을 세우는 것은 투자에 대한 명확한 방향성을 제시하는 것입니다. 전략이 명확하지 않으면 이를 기반으로 한 투자 결정은 쉽게 흔들릴 수 있습니다.

4. 리스크와 수익을 균형적으로 고려하라

투자 결정을 할 때에는 항상 리스크와 수익을 균형적으로 고려해야 합니다. 높은 수익률을 추구하기 위해서는 높은 리스크를 감수해야 할 수 있습니다.

성공적인 투자의 요소

성공적인 투자에는 여러 요소가 있습니다. 이 중에서 몇 가지를 살펴보겠습니다.

1. 충분한 조사와 분석

성공적인 투자를 위해서는 충분한 조사와 분석이 필요합니다. 이를 통해 투자에 대한 이해도를 높이고 리스크를 줄일 수 있습니다.

2. 적절한 시기와 가격의 선별

적절한 시기와 가격의 선별은 성공적인 투자의 핵심입니다. 이를 위해서는 시장 동향을 정확히 파악하고 기업의 재무 상태와 전망 등을 종합적으로 고려하여 투자를 결정해야 합니다.

3. 전략적인 자산 배분

전략적인 자산 배분은 포트폴리오의 다양성을 보장하고 리스크를 분산시키는 것에 중요합니다. 이를 위해서는 자산의 종류, 산업군, 지역 등을 고려하여 적절하게 배분해야 합니다.

4. 장기적인 시각과 꾸준한 투자

성공적인 투자는 일시적인 변동에 휘둘리지 않고 장기적인 시각과 꾸준한 투자가 필요합니다. 이를 통해 시장의 변동에 대한 영향력을 최소화하고 수익을 안정적으로 추구할 수 있습니다.

실패한 투자의 원인

반대로 실패한 투자의 원인에는 여러 가지가 있습니다. 이 중에서 몇 가지를 살펴보겠습니다.

1. 적절한 조사와 분석 부족

투자를 하기 전에 충분한 조사와 분석을 하지 않는 경우, 투자

고등학생도 할 수 있다!

결정에 오류가 생길 수 있습니다. 기업의 실적과 전망, 산업군의 전망, 시장의 흐름 등을 종합적으로 파악하지 않고 결정하는 경우, 투자 리스크가 높아집니다.

2. 감정적인 행동

감정적인 행동이 투자 결정에 영향을 미치는 경우, 리스크가 높아질 수 있습니다. 특히 과도한 탐욕이나 두려움이 투자 결정에 영향을 미치는 경우, 손실이 발생할 가능성이 큽니다.

3. 시장의 변동성 미감안

시장의 변동성이 높은 상황에서도 안정적인 수익을 추구하려는 경우, 실패할 가능성이 큽니다. 시장 변동성을 고려하지 않고 투자결정을 내리는 경우, 큰 손실을 입을 수 있습니다.

투자에서 성공과 실패는 순간적인 운이 아닌 투자자의 행동과 결정에 따라 결정됩니다. 이를 통해 얻을 수 있는 교훈은 다음과 같습니다.

충분한 조사와 분석을 하여 투자에 대한 이해도를 높이고 리스크를 줄일 것과 감정적인 행동을 지양하고 객관적인 분석과 판단에 기반하여 투자결정을 내리는 것이 중요합니다.

자산 다변화를 실시하여 포트폴리오의 리스크를 분산시키는 것이 좋습니다.

장기적인 시각과 꾸준한 투자를 통해 안정적인 수익을 추구할 수 있습니다.

시장의 변동성을 고려하여 투자 결정을 내리는 것이 중요합니다.

마지막으로 실패한 경험에서도 교훈을 얻을 수 있습니다. 실패의 원인을 분석하고 반성하여 더 나은 투자를 위한 경험을 쌓을 수 있습니다. 투자는 항상 리스크가 존재하는 활동이기 때문에 이를 최소화하고 안정적인 수익을 추구하기 위해 꾸준한 노력과 연구가 필요합니다.

이상으로 성공적인 투자와 실패한 투자의 원인과 교훈에 대해서 살펴보았습니다. 투자는 단순히 운이 좋은 것이 아니라 충분한 조사와 분석, 객관적인 판단, 자산 다변화, 장기적인 시각과 꾸준한 투자, 그리고 시장의 변동성 고려 등 다양한 요소가 관련되어 있습니다.

성공적인 투자의 경우, 충분한 조사와 분석을 통해 기업의 재무 상태와 전망 등을 종합적으로 고려하고 전략적인 자산 배분과 장기적인 시각과 꾸준한 투자를 실시하여 안정적인 수익을 추구할 수 있습니다. 반면 실패한 투자의 경우, 충분한 조사와 분석 부족, 감정적인 행동, 시장의 변동성 미감안 등의 원인이 있을 수 있습니다.

따라서 투자를 하기 전에는 충분한 조사와 분석을 통해 투자

고등학생도 할 수 있다!

에 대한 이해도를 높이고 객관적인 판단과 전략적인 자산 배분, 장기적인 시각과 꾸준한 투자, 그리고 시장의 변동성 고려 등의 요소를 고려하여 안정적인 수익을 추구할 수 있도록 노력해야 합니다. 또한 실패한 경험에서도 교훈을 얻을 수 있으므로 실패의 원인을 분석하고 반성하여 더 나은 투자를 위한 경험을 쌓을 수 있도록 노력해야 합니다.

투자는 항상 리스크가 존재하는 활동이기 때문에 적극적으로 공부하고 연구하며 자신만의 투자 철학과 전략을 갖추는 것이 중요합니다. 이를 통해 안정적이고 지속적인 수익을 추구할 수 있으며 투자에서 높은 성공률을 보일 수 있습니다.

주식투자를 통해 얻을 수 있는 장기적 가치와 역할

주식투자는 많은 사람들에게 장기적인 자산 형성을 위한 중요한 수단이 됩니다. 주식시장은 일시적인 변동이 있을 수 있지만 장기적으로는 경제성장과 기업의 성장에 따라 증가하는 경향이 있습니다. 따라서 주식투자는 장기적인 시각에서 자산을 형성하는 좋은 수단이 될 수 있습니다.

주식투자는 또한 자산 형성을 위한 다양한 전략을 제공합니다. 이를 통해 포트폴리오를 다각화시키거나 수익성이 높은 기업의 주식에 투자함으로써 성과를 극대화할 수 있습니다. 더불어 주식투자를 통해 기업의 경영 상황과 주식시장 동향을 지속적으로 관찰하며 경제에 대한 이해도를 높일 수 있습니다. 이를 통해 개인의 재무 상황을 보다 효과적으로 관리하고 미래를 대비하는 데 도움이 됩니다.

하지만 주식투자에는 항상 일정한 위험이 따르기 때문에 투자 결정을 내리기 전에 충분한 조사와 분석이 필요합니다. 투자자는 주식시장의 상황과 개별 기업의 재무 상황, 경영 전략 등을 분석하고 적절한 투자 전략을 수립해야 합니다. 또한 포트폴리오 다변화를 통해 투자위험을 분산시키는 것도 중요합니다.

주식투자의 장기적인 가치는 매우 큽니다. 투자 금액이 많은 경우에는 주식투자를 통해 높은 수익을 얻을 수 있으며 투자 금액이 적은 경우에도 장기적인 시각에서 자산을 형성하는 좋은 수단이 될 수 있습니다. 또한 주식투자는 경제에 대한 이해도를 높이고 개인의 재무 상황을 보다 효과적으로 관리하며 미래를 대비하는 데 큰 도움이 됩니다.

주식투자는 단순히 돈을 벌기 위한 수단이 아니라 인생의 지혜와 가르침을 제공합니다. 투자를 통해 기업의 경영 전략과 경제 상황을 파악하고 분석하는 과정에서 경제에 대한 이해도를 높일 수 있습니다. 또한 주식시장은 수많은 이슈와 정보가 매일 변화하는 동적인 공간이기 때문에 끊임없이 학습하고 발전할 수 있는 기회를 제공합니다.

특히 고등학생들에게 주식투자는 인생에서 처음으로 돈과 경제에 대한 실질적인 경험을 제공하는 좋은 기회가 될 수 있습니다. 주식투자를 통해 얻는 지식과 경험은 이후에도 다양한 경제활동에서 유용하게 활용될 수 있습니다. 또한 재무상황을 보다 효과적으로 관리하고 미래를 대비할 수 있게 되어 개인의 삶에 큰 도움이 됩니다. 하지만 주식투자는 많은 위험이 따르는 것도 사실입니다. 주식시장은 매우 불안정하며 투자 결과는 일시적인 변동성과 다양한 요인에 의해 결정됩니다. 따라서 투자 결정을 내리기 전에 충분한 조사와 분석이 필요하며 위험을 최소화하기 위해 적절한 투자 전략을 수립해야 합니다. 또한 투자 금액도 자신의 경제적 상황과 목표에 맞게 적절히 설정해야 합니다.

주식투자는 많은 이점과 위험이 함께 존재하는 분야입니다. 그러나 적극적으로 학습하고 분석하는 과정에서 개인의 경제 능력과 지식이 향상되며 장기적인 시각에서 자산 형성과 경제 관리를 보다 효과적으로 할 수 있게 됩니다. 고등학생들은 주식투자를 통해 삶의 지혜와 경제적 자립을 추구할 수 있는 유익한 경험을 할 수 있습니다. 이처럼 주식투자는 단순한 돈 버는 수단이 아니라 자산 형성과 경제적 지식 그리고 인생의 지혜와 가르침을 제공하는 분야입니다. 따라서 주식투자를 시작하려는 고등학생들은 충분한 학습과 분석을 통해 투자에 대한 이해도와 경제적 능력을 키우며 지속적인 학습과 발전을 추구해야 합니다.

에필로그의 제목인 "주식투자의 장기적 가치와 역할"은 주식투자가 장기적인 시각에서 자산 형성과 개인의 경제 관리를 위한 좋은 수단이라는 의미를 담고 있습니다. 주식투자를 통해 인생의 지혜와 경제적 자립을 추구하는 고등학생들은 이를 통해 자신의 미래를 더욱 확실하게 준비할 수 있을 것입니다.

주식투자를 통해 성장할 수 있는 인생의 지혜와 가르침

주식투자는 단순히 돈을 벌기 위한 수단이 아닌 인생의 지혜와 가르침을 제공합니다. 주식투자를 통해 얻을 수 있는 가치는 매우 다양하며 이를 통해 성장할 수 있는 인생의 지혜와 가르침도 많이 있습니다.

첫째로 주식투자를 통해 인생의 지혜를 얻을 수 있는 것은 기업과 경제에 대한 이해력입니다. 주식투자를 하기 위해서는 기업의 경영 전략과 재무 상황, 경제 동향 등에 대한 지식이 필요합니다. 이를 학습하고 분석하는 과정에서 개인의 경제 능력과 지식이 향상되며 끊임없이 학습하고 발전할 수 있는 기회를 제공합니다. 이러한 경험은 이후에도 다양한 경제활동에서 유용하게 활용될 수 있습니다.

둘째로 주식투자는 개인의 재무 관리에 대한 인생의 지혜를 제공합니다. 주식시장은 수많은 이슈와 정보가 매일 변화하는 동적인 공간이기 때문에 주식투자를 통해 개인의 재무 상황을 보다 효과적으로 관리할 수 있습니다. 이를 통해 개인의 재무 상황을 더욱 안정적으로 관리하며 미래를 대비할 수 있습니다.

또한 주식투자를 통해 얻은 이해도와 경험을 바탕으로 다양한 투자 방법과 금융 상품을 활용할 수 있습니다.

셋째로 주식투자는 자신의 능력과 자신감을 키울 수 있는 인생의 지혜를 제공합니다. 주식시장은 매우 불안정하며 투자 결과는 일시적인 변동성과 다양한 요인에 의해 결정됩니다. 따라서 주식투자에는 항상 일정한 위험이 따르기 때문에 투자 결정을 내리기 전에 충분한 조사와 분석이 필요합니다. 이를 통해 개인의 능력과 자신감을 키울 수 있습니다. 투자에 대한 지식과 경험을 바탕으로 더욱 자신 있게 투자 결정을 내리고 그 결과에 대한 책임을 질 수 있습니다. 또한 투자 실패나 오류에서 배운 교훈을 통해 자신의 실수를 바로 잡고 성장할 수 있는 기회를 얻을 수 있습니다.

넷째로 주식투자는 인간관계와 소통 능력을 향상시키는 인생의 가르침을 제공합니다. 주식투자는 돈과 관련된 결정이기 때문에 다른 사람과 의견을 공유하고 토론하는 과정에서 소통 능력과 타인의 의견을 존중하는 능력을 키울 수 있습니다. 또한 주식투자는 자기주도적인 학습과 자기결정에 대한 가르침을 제공합니다. 주식투자를 통해 스스로 학습하고 분석하며 자기결정에 대한 책임을 지는 과정에서 자신의 역량을 발휘할 수 있습니다.

다섯째로 주식투자는 경제적 자립과 자신감을 키울 수 있는 인생의 가르침을 제공합니다. 주식투자를 통해 자신의 경제적 능력과 지식을 키우고 경제적 자립을 실현할 수 있습니다. 이를 통해 개인의 자신감도 향상시킬 수 있습니다. 또한 투자를 통해 얻은 수익금으로 자신의 인생에 도움이 될 수 있는 다양한 경험과 교육을 제공할 수 있습니다.

마지막으로 주식투자는 실패와 성공을 경험하며 인생의 지혜와 가르침을 얻을 수 있는 분야입니다. 주식투자는 항상 위험이 따르기 때문에 실패와 성공을 경험하며 자신의 능력을 향상시킬 수 있습니다. 투자 실패를 통해 얻은 교훈을 토대로 더 나은 투자 전략을 수립하고 성공을 추구할 수 있습니다.

이처럼 주식투자를 통해 얻을 수 있는 인생의 지혜와 가르침은 매우 다양합니다. 주식투자를 통해 경제적 자립과 자신감을 키우며 다양한 인간관계와 소통 능력도 함께 발전할 수 있습니다. 또한 주식투자를 통해 성장하는 과정에서 자신의 능력과 자신감을 키울 수 있으며 실패와 성공을 경험하면서 자신의 인생을 보다 확실하게 준비할 수 있습니다. 따라서 주식투자는 돈을 벌기 위한 수단뿐만 아니라 인생의 지혜와 가르침을 얻을 수 있는 좋은 기회이며 이를 통해 자신의 미래를 보다 더 적극적으로 계획하고 준비할 수 있습니다.

우리는 지금까지 "고등학생이 할 수 있는 주식투자"에 대해 알아보았습니다. 주식투자를 통해 얻을 수 있는 이점은 매우 다양하며 이를 통해 개인의 경제 능력과 지식을 향상시킬 수 있습니다. 또한 인생의 지혜와 가르침을 얻을 수 있으며 경제적 자립과 자신감을 키울 수 있는 기회를 제공합니다.

그러나 주식투자는 항상 위험이 따르기 때문에 충분한 학습과 분석 그리고 적절한 투자 전략 수립이 필요합니다. 또한 개인의 경제적 상황과 목표에 맞게 적절한 투자 금액을 설정하는 것도 중요합니다.

주식투자는 단순한 돈 버는 수단이 아니라 개인의 경제 능력과 지식, 인생의 지혜와 가르침을 제공하는 분야입니다. 따라서 주식투자를 시작하려는 고등학생들은 충분한 학습과 분석을 통해 투자에 대한 이해도와 경제적 능력을 키우며 지속적인 학습과 발전을 추구해야 합니다.

마지막으로 주식투자는 단기적인 이익을 추구하는 것보다는 장기적인 시각에서 자산 형성과 개인의 경제 관리를 위한 좋은 수단이라는 것을 기억해야 합니다. 주식투자를 통해 자신의 미래를 보다 더 적극적으로 계획하고 준비할 수 있습니다.

후기

제가 이 책을 쓰면서 느낀 가장 큰 감정은 '책을 쓰는 것 자체가 얼마나 큰 도전인지'였습니다. 처음에는 책을 어떻게 구성해야 할지, 무엇을 담아야 할지, 막막함을 느꼈지만 글을 쓰며 점점 더욱 많은 것을 배웠습니다.

특히 이 책은 주식을 처음 접하는 초보자들을 대상으로 쓰인 것이라서 금융 지식과 경제 상식을 처음 접하는 독자들에게 어떻게 전달할 것인지 고민이 많았습니다. 또한 이 책을 쓰는 과정에서 도움을 주신 분들께 깊은 감사의 말씀을 전하고 싶습니다. 특히 이 책의 방향을 정해주신 분께 감사의 말씀을 전하고 싶습니다. 함께 논의하고 노력하며 서로의 아이디어를 수용하고 발전시켜 나가는 과정에서 큰 지혜와 인내심을 배우게 되었습니다.

마지막으로 이 책이 독자분들께 좋은 가이드가 되어 주기를 바라며 더 나은 내용과 정보를 담은 책을 제공할 수 있도록 노력하겠습니다. 이 책을 읽으시는 독자 여러분께 깊은 감사의 말씀을 전합니다.

고등학생도 할 수 있다!

용어사전

공격적 투자자(aggressive/active/enterprising investor): 기꺼이 시간과 노력을 투입하여 평균보다 더 건전하고 매력적인 종목을 선정하려는 투자자

방어적 투자자(defensive investor): 심각한 실수나 손실을 피하며 수고, 골칫거리, 빈번한 의사결정의 부담에서 벗어나려는 투자자

공익기업(public utility company): 수도, 가스, 전기 등을 공급하는 공익 기업체

배당수익률(dividend yield): =주당배당금/주가*100

성장주(growth stock): 성장률이 과거에도 평균보다 훨씬 높았고 장래에도 계속 높을 것으로 예상되는 주식

순유동자산가치(Net Current Asset Value: NCAV): 유동자산에서 부채를 모두 차감하며, 공장과 기타 자산도 포함하지 않음

순자산가치(Net Asset Value: NAV): 기업의 자산에서 부채를 차감한 금액

스톡옵션 워런트(stock-option warrant): 약정된 가격에 장기간 보통주를 매수할 수 있는 권리

염가 종목(bargain issue): 추정 내재가치가 시장가격보다 50% 이상 높은 종목. 또는 시장가격이 추정 내재가치의 2/3 이하 인 종목

우선주(preferred stock): 미국의 우선주는 주식과 채권의 속성을 겸비한 증권으로서, 청구권이 보통주보다는 선순위이지만 채권보다는 후순위에 해당한다.

이익수익률(earnings yield): 주당순이익/주가.PER의 역수

자기자본이익률(Return On Equity: ROE): =순이익/자기자본. (자기자본 =순자산)

정액매수적립식투자(dollar-cost averaging): 시장이 좋든 나쁘든 매월 똑같은 금액을 우량주에 투자하는 방식. 주가가 낮을 때에는 매수 수량이 증가하고 주가가 높을 때에는 매수 수량이 감소하므로 장기적으로 보유 주식의 매수 단가가 낮아지게 된다.

주가수익배수(Price Earning Ratio: PER) =주가/주당순이익. (낮

고등학생도 할 수 있다!

을수록 저평가)

주가순자산배수(Price-to-Book Ratio: PBR): =주가/주당순자산가치. (낮을수록 저평가)

주당순이익(Earning Per Share: EPS): =당기순이익/발행주식수

주당순자산가치(Book-value Per Share: BPS): =순자산가치/발행주식수

지방채(municipal bond): 주나 시 등 지방자치단체가 발행한 채권

투자(investment): 투자는 철저한 분석을 통해서 원금의 안전과 충분한 수익을 약속받는 행위이다. 이 요건을 충족하지 못하면 투기이다

투하자본이익률(Return on Invested Capital: ROIC) =세후영업이익/평균투하자본

Resource:

THE INTELLIGENT INVESTOR

워런버핏 바이블

How to Make Money in Stocks

STOCKS FOR THE LONG RUN

고등학생도 할 수 있다! 첫 주식투자 입문서

발행일 | 2024년 2월 28일

지은이 | 조건휘
펴낸이 | 마형민
디자인 | 김안석
편 집 | 임수안, 이동엽
펴낸곳 | (주)페스트북
주 소 | 경기도 안양시 안양판교로 20
홈페이지 | festbook.co.kr

ISBN 979-11-6929-454-6 13320
값 11,500원

* (주)페스트북은 '작가중심주의'를 고수합니다. 누구나 인생의 새로운 챕터를 쓰
  도록 돕습니다. Creative@festbook.co.kr로 자신만의 목소리를 보내주세요.